BIBLIOTECA ANAYA

N.° 74

★

EMILIA PARDO BAZAN

★

LA CUESTION PALPITANTE

EMILIA PARDO BAZAN

EMILIA PARDO BAZAN

LA CUESTION PALPITANTE

EDICION, PROLOGO
Y NOTAS
DE
CARMEN BRAVO-VILLASANTE

ANAYA
SALAMANCA-MADRID-BARCELONA

BIBLIOTECA ANAYA

Dirigen:
FERNANDO LAZARO
Catedrático de la Universidad de Salamanca

y

EVARISTO CORREA CALDERON
Catedrático del Instituto de Enseñanza Media
de Alcalá de Henares

Edita:
EDICIONES ANAYA, S. A.

Primera edición, 1966

© EDICIONES ANAYA, S. A., 1966. - Hnos. Braille, 4. - Salamanca

Depósito legal: M. 15.085.—1966

      Núm. Rgtro.: 6.732/66   Printed in Spain

GRÁFICAS BENZAL. - Virtudes, 7. - MADRID

INTRODUCCION

VIDA DE EMILIA PARDO BAZAN

Su juventud   Nace el 16 de septiembre de 1851, en la casa número 3 de la calle del Riego del Agua, en La Coruña. Sus padres son don José Pardo Bazán Figueroa y Mosquera y doña Amalia de la Rúa Figueroa y Somoza, de familia noble y acomodada. Hija única, da muestras de gran precocidad y vive en ambiente propicio al desarrollo de su talento. Muy niña hace versos al estilo de Zorrilla y lee incansablemente.

Se casa a los dieciséis años, en 1868, con don José Quiroga, todavía adolescente, que estudia la carrera de Leyes. La boda se celebra el 10 de julio en la capilla de la Granja de Meirás, propiedad de los padres de la novia, antiguo solar de los Pardo de Cela. «Me puse de largo, me casé y estalló la revolución del sesenta y ocho», dice la joven Emilia. Don José Pardo Bazán, antiguo carlista, pasa al partido progresista formado por su amigo don Salustiano Olózaga, y es nombrado diputado a Cortes. Todos los componentes de la familia se trasladan a Madrid, donde asisten a tertulias y hacen vida de sociedad.

El aburrimiento de una vida ociosa en la Corte, el hastío de las diversiones frívolas y la consideración de la inutilidad de su vida, junto con la enorme curiosidad que siente por todo, llevan a Emilia al cultivo de las letras.

Avida lectora desde su infancia, estudiosa constante, ambiciona el conocimiento y la gloria literaria.

Primeras obras   Empieza a escribir en revistas provincianas artículos de divulgación científica. En 1877 publica en «La Ciencia Cristiana» una serie de artículos sobre *Las epopeyas cristianas* y unas *Reflexiones científicas contra el darvinismo.* Se presenta al certamen de los Juegos Florales que Orense celebra en honor del padre Feijoo, y gana la rosa de oro por su *Oda a Feijoo,* frente a Concepción Arenal y al poeta Valentín Lamas Carvajal.

Viaja por Europa, por Francia, Inglaterra, Italia, Austria, lo que le da ocasión para perfeccionar los idiomas y conocer las literaturas de los respectivos países. Descubre a los novelistas franceses, y posteriormente a los contemporáneos españoles, Pereda, Galdós, Alarcón, Valera, cuya lectura le incita a escribir novelas.

Después de ocho años de matrimonio tiene su primer hijo: Jaime. Escribe un libro de poemas con este nombre, que le publica don Francisco Giner de los Ríos como regalo.

Comienza a cartearse con Menéndez Pelayo, y concibe proyectos descomunales, como escribir ella sola la *Historia de la literatura española.* Su fama de mujer sabia se extiende por España. Escribe su primera novela, *Pascual López, autobiografía de un estudiante de Medicina* (1879), mezcla de realismo y de romanticismo.

Su vida en Madrid Instalada definitivamente en Madrid con toda su familia, con dos hijas más, Carmen y Blanca, su vitalidad y alegría, su inquietud temperamental, la llevan a sumergirse en la vida social literaria y en una actividad fabulosa. En 1881 publica *Un viaje de novios,* buena novela, con un interesante prólogo en que estudia los antecedentes del realismo español. Un año después publica otros dos libros más, *San Francisco de Asís,* concebido en su juventud como biografía del santo e historia de una época, y la novela titulada *La tribuna,* que posee la novedad de ser la primera novela social española con un protagonista colectivo: la Fábrica de Tabacos de La Coruña, en la que destaca la cigarrera Amparo, revolucionaria y enamorada mujer. En esta novela, para la que la autora ha tomado apuntes del natural, hay ya un estilo, un ímpetu y una intención ideológica que muestran a la Pardo Bazán como maestra en el oficio, y por lo que es acusada de naturalismo.

En 1883 publica *La cuestión palpitante,* obra en que expone las doctrinas naturalistas, lo cual provoca gran escándalo público. Surgen disidencias conyugales, que terminan en separación amigable. Emilia Pardo Bazán adquiere por estos años gran popularidad con la publicación de sus novelas, que se consideran audaces.

Dominada por un incontenible impulso feminista, se cree capaz de todo e interviene en la vida literaria con un empuje y brío que desconcierta y admira a sus contemporáneos, provocando simpatías y antipatías vivísimas. Amiga de Galdós, de Castelar, de Cánovas, de *Clarín,* de Blasco Ibáñez, recibe la consideración debida a su talento. No tiene miedo a la lucha, ni teme las equivocaciones. «¿Qué

importa equivocarse?», dice una vez. Sus ocurrencias y
agudezas se comentan en Madrid, y multitud de anécdotas
la presentan como mujer arriscada, desenvuelta y graciosa,
de temperamento vehemente y polémico.

Además de viajera incansable, es colaboradora de los
principales periódicos y revistas españoles, como *El Liberal,
A B C, Blanco y Negro, La Ilustración Artística, La Ilustración Española y Americana*... Aspira, en vano, a un si-
llón en la Academia Española. En 1891 funda la revista
Nuevo Teatro Crítico, que redacta ella sola durante tres
años, y causa impresión en la vida intelectual española.

Mujer mundana, tiene un salón literario en el que recibe
a las personalidades de la época. Precursora de la generación del 98 y patriota vehemente, siente el desastre, que
se refleja en su obra.

Fue presidenta de la Sección de Literatura del Ateneo de
Madrid y consejera de Instrucción Pública. En la Universidad Central don Julio Burell creó una cátedra para ella,
donde explica lecciones de literatura francesa. Aspira siempre al puesto que se merece en la vida pública. Por eso
más de una vez dice: «¡Si en mis tarjetas, en vez de Emilia, pusiera Emilio Pardo Bazán!» Aspira a todo y se cree
con fuerzas hasta para ser ministro. En 1908 empieza a
firmar sus artículos con el título de Condesa de Pardo
Bazán.

Muere el 12 de mayo de 1921. Es Emilia Pardo Bazán
mujer universal, de cultura enciclopédica, «Lope con faldas» como la llama Ramón Pérez de Ayala, y tuvo enorme
influencia en la literatura y vida social de su época. Sincera y audaz, tal una «Capitana Verdades», queda en la literatura española como un caso de excepción junto a Ger-

trudis Gómez de Avellaneda, Concepción Arenal, Rosalía de Castro, y la extraordinaria Teresa de Avila. La personalidad de Emilia Pardo Bazán, como mujer y como escritora, destaca en el siglo XIX.

SUS OBRAS

Su estética   Educada en medio propicio y liberal, con amplio soporte económico, buena conocedora de Europa, pronto recoge Emilia Pardo Bazán las influencias literarias europeas y las introduce en España. El impulso romántico de su juventud se une a la técnica realista y descriptiva de la novela al uso. En *La cuestión palpitante* se resume toda su teoría literaria. Más adelante veremos cómo este libro, que ha pasado como alegato del naturalismo determinista, no es más que simple exposición de una doctrina, y a la vez manifiesto de la propia opinión de la Pardo Bazán, creadora de un naturalismo a la española, es decir, más atento a la forma que al fondo ideológico.

La filosofía cristiana de la escritora no tiene nada que ver con el materialismo filosófico de Zola. A pesar de que se han distinguido dos épocas en la novelística de la autora, su teoría sobre la novela siempre es la misma. Es cuestión de dosificación.

En la primera época: muchas descripciones y fondo espiritual dado en cifra, en compendio. En la segunda época: fondo espiritual amplificado, extenso y pocas descripciones naturalistas.

Las novelas   A las primeras novelas, que le
granjean fama, y que ya hemos
citado, sucede *El cisne de Vilamorta* (1884), donde la autora se propone estudiar y retratar en forma artística gentes y tierras que conoce. Aunque hay un aparente idealismo, el método es idéntico al de *La tribuna.* Relata los
amores de una maestra con un poeta y los de una señora
casada y veleidosa con el mismo. Leyendo esta novela, el
lector siente que hay una palpitación humana en toda la
obra de la escritora, que se interesa misericordiosamente
por los hombres, a la manera de Galdós. Debido a su profunda humanidad, se inicia hoy el retorno a esta literatura.

En 1886 publica *Los Pazos de Ulloa,* donde se describe
un mundo gallego en descomposición, la decadencia de una
clase social, de la que es símbolo el señor de La Lage. Es
una naturaleza bravía y montaraz, como los personajes aris-
cos e indómitos que transitan por ella. En un ambiente rús-
tico, de selva primigenia, aparecen un fino sacerdote espiritual, excesivamente sensible, y una señorita delicada. Estos
seres civilizados y débiles tratarán de luchar contra la salvaje y colosal fuerza de lo natural, contra la maleza virgen
y primitiva de los instintos.

Asistimos en la novela a procesos de animalización, muy
típicos del naturalismo. Sin embargo, la filosofía espiritualista de la autora—optimista, en contra del pesimismo naturalista—nos dice que aunque todas las fuerzas oscuras del
mundo circundante apresen al individuo espiritual y apa-
rentemente débil, el hombre en su interior es vencedor de
sí mismo. Esta novela magnífica tiene el interés de ser la
primera novela de ambiente gallego, donde se fijan los tipos

que luego se harán populares en la dramática de Valle-Inclán, por ejemplo en *Aguila de blasón.*

La segunda parte de esta novela, publicada en 1887, se titula *La madre Naturaleza,* apoteosis de la belleza espléndida de la naturaleza gallega y relato de los amores incestuosos de los hijos del señor de La Lage, que fatalmente se aman sin saber que son hermanos. En la novela se plantea una problemática de culpabilidad y libre albedrío, muy característica de la época, en que tanto discutieron deterministas y cristianos.

Poco después de publicar dos novelas cortas, *Insolación* y *Morriña* (1889), la Pardo Bazán, que quiere defenderse de los reproches del naturalismo, publica *La prueba* y *Una cristiana,* que pueden considerarse como primera y segunda parte. Es la historia de una mujer casada con un hombre al que aborrece, que enferma de lepra, y al que ella cuida, convertida con voluntaria abnegación en su enfermera.

El feminismo que profesa doña Emilia la lleva a escribir novelas como *Memorias de un solterón* (1891) y *Doña Milagros* (1894), en las que se perfila la figura de la mujer nueva, en muchos aspectos semejante a la propia condesa, que se inspira en recuerdos autobiográficos.

El fin de siglo, con las tendencias del modernismo, le inspira *La sirena negra* (1908), con fuerte preocupación por el misterio, lo sobrenatural y la muerte, y asimismo tendencia a sobrevalorar los elementos estéticos, que son aún más realzados en *La quimera,* novela de clave que causó sensación en su tiempo, por tratarse de la vida del famoso pintor Vaamonde, muerto prematuramente, en una agonía de insaciable afán de gloria y ansia de alcanzar un imposible ideal artístico.

Los cuentos   La varia personalidad de doña
                              Emilia debe considerarse en cada
una de sus manifestaciones. Como cuentista escribió más
de quinientos cuentos, por lo cual quizá ocupe el primer
lugar de su tiempo en este género. Es muy grande la diversidad de sus cuentos: escribe cuentos trágicos, sacropro-
fanos, de amor, dramáticos, patrióticos, del terruño, rurales, fantásticos, simbólicos. La autora domina la técnica del
cuento y sus características esenciales, como son intensidad,
brevedad, rapidez y concisión estilística.

Muchas veces, en la crónica de sucesos, en el comenta-
rio sobre los dramas sombríos y crueles de la vida diaria,
está la realidad de sus cuentos. Es paralela la creación artística y el documento.

El periodismo   Como periodista activa, Emilia
                              Pardo Bazán recoge sus artículos
en varios libros. Corresponsal en el extranjero en ocasiones
extraordinarias, como la Exposición Universal de París, escribe *Cuarenta días en la Exposición* (1900). Su viaje a
Roma y su visita al Papa y al pretendiente don Carlos son
referidos en *Mi romería* (1888), que da lugar a discordias
y a la escisión del partido carlista, debido a algunas decla-
raciones audaces de la escritora.

En *Por la Europa católica* (1902) recoge sus impresiones
de un viaje a Bélgica, y pone como ejemplo el catolicismo
activo, el socialismo cristiano de este país. En *De siglo a
siglo* vemos la crónica diaria del 98 al 900, con una minu-
ciosidad histórica documental muy digna de ser tenida en
cuenta por los historiadores.

Quedan por recoger en varios tomos los artículos que

forman la interesante serie de *La vida contemporánea,* que se publicaron en «La Ilustración Artística» desde 1895 hasta 1916.

La crítica literaria   Emilia Pardo Bazán fue notable crítica. Sus conferencias en el Ateneo, luego recogidas en su libro *La revolución y la novela en Rusia* (1887), dieron a conocer a los novelistas rusos. Dostoievski, Tolstoi, Turguenev. En *Polémicas y estudios literarios* (1892), la Pardo Bazán estudia la obra y la figura de novelistas como Pereda, Valera, Núñez de Arce y otros, así como en *Retratos y apuntes literarios* (1908). En *La literatura francesa moderna* (1910) recoge sus lecciones de literatura en la Universidad Central.

En la «Biblioteca de la Mujer» publica *La cocina española antigua* (1913) y *La cocina española moderna.* Para los jóvenes escribe *Hernán Cortés y sus hazañas* (1914).

El estilo   El estilo de doña Emilia se caracteriza por el dinamismo descriptivo, por la impetuosidad y riqueza de léxico, que si tiende al arcaísmo en sus primeras obras, luego adquiere mayor soltura y modernidad. Azorín dice de ella: «No importan en la Pardo los vocablos: el hervor de vida es tal, que olvidamos los términos, envueltos como nos sentimos en el torbellino vital.»

En su estilo se reflejan la gracia dinámica del idioma, la expresión espontánea, fresca, jugosa, y sobre todo la curiosidad amorosa de un temperamento vital. La oratoria de los grandes tribunos de la época influye en su estilo, como en tantos otros escritores. El período ancho, opulento, fe-

cundo, de la prosa de la Pardo Bazán pertenece al estilo
oratorio, y el diálogo cortado, rápido, al lenguaje coloquial
de la vida diaria. Posee también la gran cualidad de la oratoria y de la realidad hablada: el calor de la frase, el brío,
la acometividad, la vivacidad y el sentimiento.

LA CUESTION PALPITANTE

Su aparición   En 1882 empieza doña Emilia a
                                 publicar una serie de artículos
en el periódico «La Epoca», bajo el título de *La cuestión palpitante,* con objeto de divulgar el naturalismo francés, aplicado a la novela. La autora de los ensayos pedagógicos de
La ciencia amena sigue teniendo propósito didáctico. Enseñar y analizar las nuevas tendencias es su propósito.

En 1883 publica los artículos en libro, que lleva prólogo
de *Clarín*. A la agudeza de *Clarín* no escapa el valor de la
dama escritora. Con auténtica admiración, *Clarín* presenta
a Emilia Pardo Bazán como un sabio, y elogia la poderosa
inteligencia de la autora, «simpática, valiente y discretísi-
ma», que sabe a lo que se expone publicando este libro.
«Mano sucia de la literatura llamaba al naturalismo un
ilustre académico», dice *Clarín*.

Emilia desde su cátedra divulgadora, igual que si escribiese sobre el calórico y la electricidad o disertara sobre
Feijoo o los poetas cristianos o la historia del siglo XIII,
se pone a explicar a los españoles, con la mayor sencillez,
en apretada síntesis, la lección de las nuevas doctrinas, sobre las que se habla vagamente. No defiende, expone, como
una buena maestra que trata de explicar a sus alumnos una

nueva y desconocida teoría. Su libro no es un catecismo del naturalismo, sino exposición y crítica de las ideas estéticas de la doctrina literaria que triunfa en Francia. El tono en que está escrita *La cuestión palpitante,* es festivo y desenfadado. La autora procura dar amenidad a la exposición de las teorías literarias y filosóficas, de modo que alcance a muchos la divulgación, pues no es autora que escriba para minorías.

Teoría e historia   Los tres primeros capítulos, titulados «Hablemos del escándalo», «Entramos en materia» y «Seguimos filosofando», son los esenciales. En ellos se expone el meollo de la tendencia naturalista. El resto del libro es historia literaria, un anticipo de lo que luego serán, muy ampliadas, sus lecciones de literatura francesa, a excepción de los capítulos XIII, XIV, XV y XVI, donde se vuelve a ceñir la autora al estudio de la teoría naturalista.

Exposición y crítica   En *La cuestión palpitante,* doña
del naturalismo   Emilia nos demuestra que es una
                             crítica ponderada, equilibrada,
amiga de lo nuevo y a la vez discriminadora, con una gran curiosidad intelectual por todo lo raro, y al mismo tiempo con espíritu ordenador. Aunque atraída por todo lo moderno, no pierde el juicio, que siempre es muy personal. Por eso extraña que a la publicación de *La cuestión palpitante* se promoviese escándalo y polémica, porque ahora nos damos cuenta que la labor de crítica que realizó la escritora no fue comprendida en su verdadero sentido. Más que un ditirambo de Zola, doña Emilia inicia una crítica del escri-

tor francés. Y leyendo hoy día con serenidad *La cuestión palpitante,* se ve que es más un principio de ataque que un alegato en pro de la doctrina naturalista. Pasados los años, los artículos que la condesa dedicará a Zola en *La Lectura* confirmarán su postura inicial de prevención y aun repudio del fundamento filosófico de las doctrinas naturalistas, lo que no le impide una total adhesión admirativa a la obra del artista.

Doña Emilia, en la exposición y crítica de Zola, comprende muy bien dónde está la fuerza y la flaqueza del escritor francés. Zola tiene pretensiones científicas; Zola ha escrito un libro de teoría literaria titulado *La novela experimental,* a imitación del famoso médico Claude Bernard, que ha publicado *La medicina experimental.*

Dice Zola: «Sabios como Claude Bernard demuestran ahora que el cuerpo humano lo rigen leyes fijas; podemos vaticinar sin que quepa error, la hora en que serán formuladas a su vez las leyes del pensamiento y de las pasiones. Igual determinismo debe regir la piedra del camino que el cerebro humano.»

Así Zola, como novelista médico, como literato científico, escribe *Los Rougon Macquart, historia natural y social de una familia bajo el Segundo Imperio,* familia herida por la neurosis, que va transmitiendo la enfermedad a sus descendientes. La transmisión hereditaria actúa como una tara, que determina la conducta de los seres humanos. Añádase a esto las ideas de la selección natural, de la lucha por la existencia, así como otras ideas de las doctrinas evolucionistas del *Origen de las especies,* aplicadas al arte. El resultado es el naturalismo, teoría que encuentra la causa de los actos humanos en la acción de las fuerzas naturales del

organismo y del medio ambiente. El fundamento es la filosofía determinista, es decir, un fatalismo materialista. Con
razón propone doña Emilia que se haga un libro titulado
El darvinismo en el arte contemporáneo: tan grande es la
influencia de esta teoría.

Este positivismo lleva a Zola directamente al pesimismo,
al vacío, a la nada de la existencia, y a negar el albedrío.
Al negar Zola la libertad humana, niega toda responsabilidad, y, por tanto, toda moral. El naturalismo, con este
viraje, se opone al idealismo romántico de Hegel, sin darse
cuenta que cae en una especie de idealismo al revés. Si antes los románticos buscaban seres ideales, ahora Zola prefiere el caso patológico.

«Tocamos con la mano el vicio capital de la estética naturalista—dice doña Emilia—. Someter el pensamiento y
la pasión a las mismas leyes que determinan la caída de la
piedra..., considerar exclusivamente las influencias físico-
químicas, prescindiendo hasta de la espontaneidad individual, es lo que se propone el naturalismo y lo que Zola
llama en otro pasaje de sus obras: ''mostrar y poner de
realce la bestia humana por medio del instinto ciego y la
concupiscencia desenfrenada''.»

Zola tomó las hipótesis por leyes, ignorando también que
las pretendidas leyes matemáticas aplicadas a la biología,
eran asimismo hipotéticas. La seguridad del siglo xix será
sustituida después por las salvedades del siglo xx, que hasta
en biología utiliza el cálculo de probabilidades en vez de
la afirmación rotunda. Si en el hombre existe la espontaneidad, en la ciencia existe el imponderable.

La Pardo Bazán no tolera que Zola quiera hacer del caso
excepcional un caso normal: «¡A Dios gracias, hay de todo

en el mundo, y aun en este siglo de tuberculosis y anemias no falta quien tenga mente sana en cuerpo sano!»

El naturalismo a la española

Como es natural, doña Emilia, desde su posición de católica española, mejor dicho, de cristiana que cree en el libre albedrío, en la posibilidad de la salvación y rehabilitación del individuo, comprende la inmoralidad que entraña el naturalismo, que procede del carácter fatalista y del fondo determinista que contiene.

Esto lo comprendió Zola mucho mejor que los contemporáneos españoles de la condesa, cuando le dice en carta al prologuista y traductor al francés de *La cuestión palpitante,* E. Savine: «Lo que no puedo ocultar es mi extrañeza de que la señora Pardo Bazán sea católica ferviente, militante, y a la vez naturalista; y me lo explico sólo por lo que oigo decir de que el naturalismo de esa señora es puramente formal, artístico y literario.»

Por todo lo cual la Pardo Bazán añade que Zola, «más perspicaz que la inmensa mayoría de mis compatriotas, que no se hartan de llamarme sectaria naturalista, ve en mí a un disidente o heterodoxo, y se da cuenta exacta del abismo que media entre mis ideas filosóficas y religiosas y las suyas, aunque no se detenga... a explicar mi fórmula que considero más ancha y larga, y, por lo tanto, más humana que la suya.»

Es decir, que el naturalismo de doña Emilia se parece escasamente al de Zola «como un huevo a una castaña» —dirá ella misma—, y la fórmula de naturalismo católico o naturalismo a la española ofrece tal antinomia que ni el mismo Zola puede aceptar.

La Pardo Bazán será positivista por el método, pero no por las creencias. La fusión del realismo nacional, de tan hondo arraigo en la tradición literaria española, con los elementos sociales de la novela francesa y la aceptación del protagonista colectivo (el mercado, el taller, la fábrica, la ciudad...), así como una mayor profundidad y amplitud en el lenguaje, sin distinción de vocablos patricios o plebeyos, y un interés más decidido por más vastos horizontes humanos, es la fórmula conciliadora que ofrece.

Ya en el interesantísimo prólogo a su novela *Un viaje de novios* decía: «Si a algún crítico se le ocurriese calificar de realista esta mi novela, como fue calificada su hermana mayor *Pascual López,* pídole por caridad que no me afilie al realismo traspirenaico, sino al nuestro, único que me contenta y en el cual quiero vivir y morir, no por mis méritos, sino por mi voluntad firme.»

Anteriormente había escrito en este mismo prefacio: «Me aflige el mezquino premio que logran los ingenios de España, y me abochorna la preferencia vergonzosa que tal vez concede la multitud a rapsodias y versiones pésimas de Zola, habiendo en España Galdós, Pereda, Alarcones y otros más que omito por no alargar la nomenclatura.» El realismo es más amplio que el naturalismo, pues en éste existe una limitación, un carácter cerrado y exclusivo.

Lecciones de literatura francesa   Como ya hemos dicho, cada capítulo de *La cuestión palpitante* es una lección de literatura. Después de exponer las teorías naturalistas, doña Emilia hace historia del movimiento y se remonta a los orígenes, que cree ver en el propio movimiento romántico, en el que muy acerta-

damente señala los rasgos comunes de exageración y desor-
bitación con la nueva escuela. La atención que el romanticismo otorga a lo feo y a lo bello indistintamente prepara
el advenimiento del realismo.

En esta minuciosa genealogía, no omite nada, desde los
cuentos hasta los libros de caballerías, pasando por «*Don
Quijote*» hasta «*El Buscón*», novela preferida, sin duda
porque hay ya en ella palpitaciones de un curioso y precoz
naturalismo hispánico.

Posteriormente Lesage, el abate Prevost, Rousseau, Diderot, Mme. Stael, Chateaubriand y Víctor Hugo son analizados. La Condesa no se limita a una mera exposición, sino
que emite juicios y hasta señala preferencias, como en el
caso de los hermanos Goncourt, que dice, «me inspiran
gran simpatía y son mis autores predilectos...; hasta sus
defectos me cautivan...; un gusto que procede quizá de mi
temperamento de colorista», y en otro momento de des-
ahogo espontáneo: «¡Cuán bella y deleitable cosa es el
color!»

Además los hermanos Goncourt, «no proceden como Balzac, ni como Zola, quienes crearon personajes lógicos que
obran conforme a los antecedentes sentados por el novelista, y van por donde los lleva la fatalidad de su complexión
y la tiranía de las circunstancias. Los personajes de los
Goncourt no son tan automáticos».

Con ser uno de los mejores capítulos el consagrado a los
Goncourt, el capítulo dedicado a Stendhal es de gran perspicacia crítica. Doña Emilia señala el sistema stendhaliano
que estudia el mecanismo psicológico y el proceso de las
ideas, y califica a los héroes de las novelas de Stendhal
como mecanismos cerebrales y seres que raciocinan dema-

siado. Señala el contraste que ofrecen la lucidez de psicólogo realista de Stendhal y su método interiorista, frente a la
técnica de copista de la naturaleza exterior que emplea Zola.

Balzac y su capacidad de vida, el impersonalismo de Flaubert y el método realista de Daudet son analizados también
con gran penetración crítica, para finalmente desembocar
en los últimos capítulos dedicados a la vida y la obra de
Zola, el último de la estirpe literaria, cuya genealogía tan
minuciosamente se ha estudiado.

Con acierto sumo, la escritora señala que «lo activo en
Zola es el mal: el bien bosteza y se cae de puro tonto», ano-
tación curiosa que puede aplicarse a la propia novelista en
Los Pazos de Ulloa, donde los protagonistas buenos son tan
sosos, aburridos y desvaídos, que nuestro interés va hacia
los malvados, que son magníficos tipos, llenos de fuerza y
empuje.

Que Zola inventó «la retórica del alcantarillado» es otra
verdad que agudamente señala la Pardo Bazán, así como el
método de acumulación para hinchar la realidad y el evidente
simbolismo que existe en toda obra zolesca.

De toda la extensa exposición que hace acerca del escritor Zola y de sus novelas, así como de su influencia en
Europa, se deduce principalmente que no quiere atacarlo ni
defenderlo más de lo justo, y que prefiere entender antes
de escandalizarse.

Eco de «La cuestión
palpitante». Polémicas
Poco después de aparecer, en el
invierno de 1882 a 1883, los artículos sobre *La cuestión palpi-
tante,* y la edición en un tomo delgadillo—al decir de la

propia autora—, la prensa diaria reflejó el efecto que artículos y libro habían producido.

La cuestión palpitante y su autora fueron objeto de impugnaciones, elogios, ataques e injurias. Como no todo es digno de ser reseñado mencionamos los libros más importantes a que dio lugar su libro: *La cuestión palpitante (Cartas a la señora doña Emilia Pardo Bazán),* por J. Barcia Caballero (1884); *La novela moderna, cartas críticas,* por Juan B. Pastor Aicart (1886); *Apuntes sobre el nuevo arte de escribir novelas,* por Juan Valera (1887), que es la mejor y más graciosa impugnación del naturalismo; *El naturalismo en la novela,* por Manuel Polo y Peyrolon; *Estudios,* por el presbítero Díaz Carmona, publicados en la revista «La Ciencia Cristiana», y los artículos de Luis Alfonso publicados en «La Epoca».

Nuestra edición   Reproducimos el texto de la cuarta edición impresa en Madrid en la imprenta de A. Pérez Dubrull (calle de la Flor Baja, número 22), en 1891. Es el tomo I de las Obras completas de la autora. Precede a esta edición un prólogo de la autora; a continuación el prólogo a la edición francesa de Alberto Savine (París, 1886); unas «Opiniones de Emilio Zola sobre *La cuestión palpitante*», en carta dirigida a A. Savine. Y el prólogo de la segunda edición, escrito por *Clarín* (el 14 de junio de 1882). Omitimos todas estas páginas.

La cuestión palpitante se publicó por vez primera, como ya hemos indicado, en forma de artículos, en el periódico «La Epoca», durante el invierno de 1882 a 1883; la segunda edición, ya en forma de libro, en 1883, en Madrid en la Imprenta Central, a cargo de Víctor Saiz, y la tercera edición, en lengua francesa, en versión de Alberto Savine y edición de la casa Giraud.

En 1894 empezaron a publicarse en «El Imparcial» (14 de mayo) unos artículos de doña Emilia Pardo Bazán titulados *Nueva cuestión palpitante: cuál es,* acerca de las teorías de Lombroso, en los que la autora pretendía estudiar y divulgar las nuevas teorías lombrosianas sobre el criminal, que influyeron en su novela *La piedra angular.* Estos artículos no fueron recogidos en libro, y los mencionamos porque el nombre es un eco lejano de *La cuestión palpitante,* que tuvo tanta fama en su día.

BIBLIOGRAFIA

MENÉNDEZ PELAYO, Marcelino: «Doña Emilia Pardo Bazán», en *Estudios y discursos de crítica literaria.* Obras completas. 1942.

GONZÁLEZ BLANCO, Andrés: *Historia de la novela en España.* Madrid, 1907.

FOSTER, Hildegarde: *Zolas Einfluss auf die literarischen Aufänge der Gräfin Emilia Pardo Bazán.* Münster, 1940.

SÁINZ DE ROBLES, Federico: Prólogo a las *Obras escogidas de doña Emilia Pardo Bazán.* Madrid, Aguilar, 1943.

BAQUERO GOYANES, Mariano: *El cuento español en el siglo XIX.* Madrid, 1949. «La novela naturalista española». Anales de la Universidad de Murcia, tomo XIII.

CORREA CALDERÓN, E.: «La Pardo Bazán en su época», en *El centenario de doña Emilia Pardo Bazán.* Madrid, Facultad de Filosofía y Letras, 1952.

Pérez Minik, D.: «Las novelas de la Condesa de Pardo Bazán», en *Novelistas españoles de los siglos XIX y XX*. Madrid, Guadarrama, 1957.

Entrambasaguas, Joaquín de: «Emilia Pardo Bazán», en *Las mejores novelas contemporáneas*. Barcelona, Planeta, 1958.

Bravo-Villasante, Carmen: *Vida y obra de Emilia Pardo Bazán*. Madrid, Revista de Occidente, 1962.

Roselli, F.: *Una polemica letteraria in Spagna: il Romanzo Naturalista*. Pisa, Instituto di Letteratura Spagnola e Ispano-Americana dell'Universitá, 1963.

Pattison, Walter T.: «*El Naturalismo español*». *Historia externa de un movimento literario*. Madrid, Gredos, 1965.

LA CUESTION PALPITANTE

I

HABLEMOS DEL ESCÁNDALO

Es cosa de todos sabida que, en el año de 1882, *naturalismo* y *realismo* son a la literatura lo que a la política el partido formado por el Duque de la Torre [1]: se ofrecen como última novedad, y, por añadidura, novedad escandalosa. Hasta los oídos del más profano en letras comienzan a familiarizarse con los dos *ismos*.

Dada la olímpica indiferencia con que suele el público mirar las cuestiones literarias, algo desusado y anormal habrá en ésta cuando así logra irritar la curiosidad de unos, vencer la apatía de otros, y que todo el mundo se imagine llamado a opinar de ella y resolverla.

Este movimiento no sería malo, al contrario, si naciese de aquel ardiente amor al arte que dicen inflamaba a los ciudadanos de las repúblicas griegas; pero aquí reconoce distinto origen, y desatiende la cuestión literaria para atender a otras diferentes aunque afines. Muy análogo es lo que ocurre ahora con el naturalismo y el realismo a lo que suce-

[1] Don Francisco Serrano y Domínguez, conde de San Antonio y duque de la Torre (1810-1885), destacado político durante el reinado de Isabel II, que en los últimos años de su vida formó el partido posibilista liberal demócrata avanzado.

dió con los dramas del Sr. Echegaray [2]. Si teníamos o no un grande y verdadero poeta dramático; si sus ficciones eran bellas; si procedía de nuestra escuela romántica o había que considerar en él un atrevido novador, de todo esto se le importó algo a media docena de literatos y críticos; lo que es al público le tuvo sin cuidado; discutió, principalmente, si Echegaray era moral o inmoral, si las señoritas podían o no asistir a la representación de *Mar sin orillas,* y si el autor figuraba en las filas democráticas y había hablado «in illo tempore» de cierta trenza... El resultado fue el que tenía que ser: extraviarse lastimosamente la opinión, por tal manera, que harán falta bastantes años y la lenta acción de juiciosa crítica para que se descubra el verdadero rostro literario de Echegaray, y en vez del dramaturgo subversivo y demoledor, se vea al reaccionario que retrocede, no sólo al romanticismo, sino al teatro antiguo de Calderón y Lope.

Otro tanto acaecerá con el naturalismo y el realismo: a fuerza de encarecer su grosería, de asustarse de su licencia, de juzgarlo por dos o tres páginas, o si se quiere por dos o tres libros, el público se quedará en ayunas, sin conocer el carácter de estas manifestaciones literarias, después de tanto como se habla de ellas a troche y moche.

Fácil es probar la verdad de cuanto indico. ¿Qué lector de periódicos habrá que no tropiece con artículos rebosando indignación, donde se pone a naturalistas y realistas como hoja de perejil, anatematizándolos en nombre de las potestades del cielo y de la tierra? Y esto no sólo en los diarios

[2] José Echegaray Eizaguirre (1833-1916), cuyos dramas alcanzaron gran notoriedad en su época. El estreno de *Mar sin orillas* tuvo lugar en 1879 en el Teatro Español.

conservadores y graves, sino en el papel más radical y *ensalzao*, que diría un personaje de Pereda. Publicaciones hay que después de burlarse, tal vez, de los dogmas de la Iglesia, y de atacar sañudamente a clases e instituciones, se revuelven muy enojadas contra el naturalismo, que en su entender tiene la culpa de todos los males que afligen a la sociedad. «Aquí que no peco», dicen para su sayo. Hubo un tiempo en que la acusación de desmoralizarnos pesó sobre la lotería y los toros: el naturalismo va a heredar los crímenes de estas dos diversiones genuinamente nacionales.

En confirmación de mi aserto aduciré un hecho. El señor Moret y Prendergast [3] asistió este verano a los Juegos florales de Pontevedra, haciendo gran propaganda democrático-monárquica: pero también lució su elocuencia en la velada literaria, donde, dejando a un lado las lides del Parlamento y las tempestades de la política, lanzó un indignado apóstrofe a Zola y felicitó a los poetas y literatos gallegos que concurrieron al certamen, por no haber seguido las huellas del autor de los *Rougon Macquart*.

Francamente, confieso que si me hubiese pasado toda la mañana en querer adivinar lo que diría por la noche el señor Moret, así se me pudo ocurrir que la tomase con Zola, como con Juliano el Apóstata o el moro Muza. Cualquiera de estos dos personajes hace en nuestra poesía tantos estragos como el pontífice del naturalismo francés: a poeta alguno, que yo sepa, se le pasa por las mientes imitarlo, ni en Pontevedra, ni en otra ciudad de España. Si el señor Moret recomendase a los poetas originalidad e independencia respecto de Bécquer, de Espronceda, de Campoamor o Núñez

[3] Político español (1833-1913).

de Arce..., entonces no digo... Lo que es Zola bien inocente está de los delitos poéticos que se cometen en nuestra patria. Y en la prosa misma nos dañan bastante más, hoy por hoy, otros modelos.

El proceder del señor Moret me recuerda el caso de aquel padre predicador que en un pueblo se desataba condenando las peinetas, los descotes bajos y otras modas nuevas y peregrinas de Francia, que nadie conocía ni usaba entre las mujeres que componían su auditorio. Oíanle éstas y se daban al codo murmurando bajito: «¡Hola, se usan descotes!, ¡hola, conque se llevan peinetas!»

El lado cómico que para mí presenta el apóstrofe del señor Moret, es dar señal indudable de la confusión de géneros que hoy reina en la oratoria. Poca gente asiste a los sermones en la iglesia; pero, en cambio, casi no hay apertura de Sociedad, discurso de Academia, ni arenga política que no tienda a moralizar a los oyentes. Al señor Moret le sirvió Zola para mezclar en su discurso lo grave con lo ameno, lo útil con lo dulce; sólo que erró en el ejemplo.

Si entre los hombres políticos no está en olor de santidad el naturalismo, tampoco entre los literatos de España goza de la mejor reputación. Pueden atestiguarlo las frases pronunciadas por mi inspirado amigo el señor Balaguer [4] al resumir los debates de la sección de literatura del Ateneo. Un insigne novelista [5], de los que más prefiere y ama el público español, me declaraba últimamente no haber leído a Zola, Daudet ni ninguno de los escritores naturalistas franceses, si bien le llegaba *su mal olor*. Pues bien: con todo el

---

[4] Víctor Balaguer, literato y político (1824-1901), iniciador del moderno renacimiento literario catalán.

[5] Alusión a don Juan Valera.

respeto que se merece el elegante narrador y cuantos pien-
sen como él reuniendo iguales méritos, protesto y digo que
no es lícito juzgar y condenar de oídas y de prisa, y senten-
ciar a la hoguera encendida por el ama de Don Quijote a
una época literaria, a una generación entera de escritores
dotados de cualidades muy diversas, y que si pueden con-
venir en dos o tres principios fundamentales, y ser, digámoslo así, frutos de un mismo otoño, se diferencian entre sí
como la uva de la manzana y ésta de la granada y del nís-
pero. ¿No fuera mejor, antes de quemar el ya ingente mon-
tón de libros naturalistas, proceder a un donoso escrutinio
como aquel de marras?

Ni es sólo en España donde la literatura naturalista y realista está fuera de la ley. Citaré para demostrarlo un detalle
que me concierne; y perdone el lector si saco a colación mi
nombre, *di necessitá,* como dijo el divino poeta. En la
«Révue Britannique» del 8 de agosto de 1882 vio la luz un
artículo titulado *Littérature Espagnole-Critique.—Un diplo-
mate romancier: Juan Valera.* (Largo es el título; pero res-
ponda de ello su autor, que firma *Desconocid.*) Ahora pues,
este *Mr. Desconocid,* tras de hablar un buen rato de las
novelas del señor Valera, va y se enfada y dice: «J'apprends
qu'une femme, dans *Un voyage de fiancés* [6] *(Viaje de novios),* essaye d'acclimater en Espagne le roman naturaliste.
Le naturalisme consiste probablement en ce que...» No re-
produzco el resto del párrafo, porque el censor idealista
añade a renglón seguido cosas nada ideales; paso por alto
lo de traducir *Viaje de novios* «Voyage de fiancés», como
si fuesen los *futuros* y no los *esposos* quienes viajan juntos

[6] Se refiere a la novela de doña Emilia, *Un viaje de novios,* que se publicó en 1881.

mano a mano—cosa no vista hasta la fecha—porque también traduce *Pasarse de listo* por «Trop d'imagination»; y voy solamente a la ira y desdén que el crítico traspirenaico manifiesta cuando averigua que existe en España «une femme» que osa tratar de aclimatar la novela naturalista. Parece al pronto que todo crítico formal, al tener noticia del atentado, desearía procurarse el cuerpo del delito para ver con sus propios ojos hasta dónde llega la iniquidad del autor; y si esto hiciese *Mr. Desconocid,* lograría dos ventajas: primera, convercerse de que casi estoy tan inocente de la tentativa de aclimatación consabida, como Zola de la perversión de nuestros poetas; segunda, evitar la garrafalada de traducir *Viaje de novios* por «Voyage de fiancés», y todas las ingeniosas frases que le inspiró esta versión libérrima. Pero *Mr. Desconocid* echó por el atajo, diciendo lo que quiso sin molestarse en leer la obra, sistema cómodo y por muchos empleado.

He de confesar que, viéndome acusada nada menos que en dos lenguas (la «Revue Britannique» se publica, si no me engaño, en París y Londres simultáneamente) de los susodichos ensayos de aclimatación, creció mi deseo de escribir algo acerca de la palpitante cuestión literaria: *naturalismo* y *realismo.* Cualquiera que sea el fallo que las generaciones presentes y futuras pronuncien acerca de las nuevas formas del arte, su estudio solicita la mente con el poderoso atractivo de lo que vive, de lo que alienta; de lo actual, en suma. Podrá la hora que corre ser o no ser la más bella del día; podrá no brindarnos calor solar ni amorosa luz de luna; pero al fin es la hora en que vivimos.

Aun suponiendo que *naturalismo* y *realismo* fuesen un error literario, un síntoma de decadencia, como el culteranismo, v. gr., todavía su conocimiento, su análisis, importaría grandemente a la literatura. ¿No investiga con afán el teólogo la historia de las herejías? ¿No se complace el médico en diagnosticar una enfermedad extraña? Para el botánico hay sin duda alguna plantas lindas y útiles y otras feas y nocivas, pero todas forman parte del plan divino y tienen su belleza peculiar en cuanto dan elocuente testimonio de la fuerza creadora. Al literato no le es lícito escandalizarse nimiamente de un género nuevo, porque los períodos literarios nacen unos de otros, se suceden con orden, y se encadenan con precisión en cierto modo matemática: no basta el capricho de un escritor, ni de muchos, para innovar formas artísticas; han de venir preparadas, han de deducirse de las anteriores. Razón por la cual es pueril imputar al arte la perversión de las costumbres, cuando con mayor motivo pueden achacarse a la sociedad los extravíos del arte.

Todas estas consideraciones, y la convicción de que el asunto es nuevo en España, me inducen a emborronar una serie de artículos donde procure tratarlo y esclarecerlo lo mejor que sepa, en estilo mondo y llano, sin enfadosas citas de autoridades ni filosofías hondas. Quizá esta misma ligereza de mi trabajo lo haga soportable al público: el corcho sobrenada, mientras se sumerge el bronce. Si no salgo airosa de mi empresa, *otro lo cantará con mejor plectro*.

Obedece al mismo propósito de *vulgarización literaria* la inserción de estos someros estudios en un periódico diario. Si a tanto honor los hiciese acreedores la aprobación del lector discreto, no faltará un «in 8.º» donde empapelarlos; entre tanto, corran y dilátense llevados por las alas potentes y veloces de la prensa, de la cual todo el mundo murmura, y a la cual todo el mundo se acoge cuando le importa... Y

aquí me ocurre una aclaración. El pasado año se discutió
en el Ateneo el tema de estos artículos, a saber: el *naturalismo*. La costumbre—con otra causa más poderosa no atino
ahora, tal vez por la premura con que escribo—veda a las
damas la asistencia a aquel centro intelectual; de suerte que,
aun cuando me hallase en la Corte de las Españas, no podría
apreciar si se ventiló en él con equidad y profundidad la
cuestión. Así es que al asegurar que el asunto es nuevo, aludo
en particular a los dominios de la palabra escrita, donde
definitivamente se resuelven los problemas literarios.

Sentado todo lo anterior, hablemos del escándalo. Cada
profesión tiene su heroísmo propio: el anatómico es valiente
cuando diseca un cadáver y se expone a picarse con el bis-
turí y quedar inficionado del carbunclo, o cosa parecida; el
aeronauta, cuando corta las cuerdas del globo; el escritor
ha menester resolución para contrarrestar poco o mucho la
opinión general; así es que probablemente, al emprender
este trabajo, añado algunos renglones honrosos a mi modesta
hoja de servicios.

Tal vez alguien vuelva a hablar de *aclimataciones* y otras
niñerías, afirmando que quise abogar por una literatura in-
munda, vitanda y reprobable. A bien que la verdad se hace
lugar tarde o temprano, y el que desapasionada y paciente-
mente lea lo que sigue, no verá panegíricos ni alegatos, sino
la apreciación imparcial de la fase literaria más reciente y
característica. Y, por otra parte, como las ideas se difunden
hoy con tal rapidez, es posible que en breve lo que ahora
parece novedad sea conocido hasta de los estudiantes de primer año de retórica. Para entonces tendrá el naturalismo en
España panegiristas y sectarios verdaderos, y a los meros ex-
positores nos reintegrarán en nuestro puesto neutral.

II

ENTRAMOS EN MATERIA

Empezaré diciendo lo que en mi opinión debe entenderse por *naturalismo* y *realismo,* y si son una misma cosa o cosas distintas.

Por supuesto que el Diccionario de la Lengua castellana (que tiene el don de omitir las palabras más usuales y corrientes del lenguaje intelectual, y traer en cambio otras como *of, chincate* [1], *songuita* [2], etc., que sólo habiendo nacido hace seis siglos, o en Filipinas, o en Cuba, tendríamos ocasión de emplear), carece de los vocablos *naturalismo* y *realismo* [3]. Lo cual no me sorprendería si éstos fuesen nuevos; pero no lo son, aunque lo es, en cierto modo, su acepción literaria presente. En filosofía, ambos términos se emplean desde tiempo inmemorial: ¿quién no ha oído decir el *naturalismo* de Lucrecio, el *realismo* de Aristóteles? En cuanto al sentido más reciente de la palabra *naturalismo,* Zola declara que ya se lo da Montaigne, escritor moralista que murió a fines del siglo XVI.

Entre las *cien mil voces* añadidas al Diccionario por una *Sociedad de literatos* (París, Garnier, 1882), encuéntrase la palabra *naturalismo,* pero únicamente en su acepción filosó-

---

[1] *Chincate,* el último azúcar moreno que sale de los calderos.

[2] *Songuita,* diminutivo de *songa,* expresión cubana que significa ironía, burla, amenaza o menosprecio simulador.

[3] En posteriores ediciones, el Diccionario incluye *naturalismo* y *realismo* como escuelas literarias.

fica: ni por asociarse se acuerdan más de la literatura los literatos susodichos. Así es que para fijar el sentido de las
voces *naturalismo* y *realismo*, acudiremos al de *natural* y
real. Según el Diccionario, *natural* es «lo que pertenece a la
naturaleza»; *real*, «lo que tiene existencia verdadera y
efectiva».

Y es muy cierto que el *naturalismo* riguroso, en literatura
y en filosofía, lo refiere todo a la naturaleza: para él no hay
más causa de los actos humanos que la acción de las fuerzas
naturales del organismo y el medio ambiente. Su fondo es
determinista, como veremos.

Por *determinismo* entendían los escolásticos el sistema de
los que aseguraban que Dios movía o inclinaba irresistible-
mente la voluntad del hombre a aquella parte que convenía
a sus designios. Hoy, *determinismo* significa la misma de-
pendencia de la voluntad, sólo que quien la inclina y subyu-
ga no es Dios, sino la materia y sus fuerzas y energías. De
un fatalismo providencialista, hemos pasado a otro materialista. Y pido perdón al lector si voy a detenerme algo en el
asunto; poquísimas veces ocurrirá que aquí se hable de
filosofía, y nunca profundizaremos tanto que se nos levante
jaqueca; pero dos o tres nocioncillas son indispensables para
entender en qué consiste la diferencia del *naturalismo* y el
realismo.

Filósofos y teólogos discurrieron, en todo tiempo, sobre
la difícil cuestión de la libertad humana. ¿Nuestra voluntad
es libre? ¿Podemos obrar como debemos? Es más: ¿podemos *querer* obrar como debemos? La antigüedad pagana se
inclinó generalmente a la solución fatalista. Sus dramas nos
ofrecen el reflejo de esta creencia: los Atridas, al cometer
crímenes espantosos, obedecen a los dioses; penetrado de

una idea fatalista, el filósofo estoico Epicteto decía a Dios: «llévame adonde te plazca»; y el historiador Veleyo Patérculo escribía que Catón «no hizo el bien por dar ejemplo, sino porque le era imposible, dentro de su condición, obrar de otro modo». Más adelante, la teología cristiana, a su vez, discutió el tema del albedrío, en el cual se encerraba el gravísimo problema del destino final del hombre; porque, según acertadamente observaba San Clemente de Alejandría, ni elogios, ni honores, ni suplicios tendrían justo fundamento, si el alma no gozase de libertad al desear y al abstenerse, y si el vicio fuese involuntario. El mérito singular de la teología católica consiste en romper las cadenas del antiguo fatalismo, sin negar la parte importantísima que toma en nuestros actos la necesidad. En efecto, reconociendo el libre arbitrio absoluto, como lo hacía el hereje Pelagio [4], resultaba que el hombre podría, entregado a sus fuerzas solas y sin ayuda de la gracia, salvarse y ser perfecto, mientras que, anulando la libertad, como el otro heresiarca Lutero, el ente más malvado e inicuo sería también perfecto e impecable, puesto que no estaba en su mano proceder de distinto modo.

Supo la teología mantenerse a igual distancia de ambos extremos; y San Agustín acertó a realizar la conciliación del albedrío y la gracia, con aquella profundidad y tino propios de su entendimiento de águila. Para esta conciliación hay un dogma católico que alumbra el problema con clara luz: el del pecado original. Sólo la caída de una naturaleza originariamente pura y libre puede dar la clave de esta mezcla de nobles aspiraciones y bajos instintos, de necesidades intelectuales y apetitos sensuales, de este *combate* que todos los

---

[4] Pelagio, hereje bretón del siglo V que negaba la eficacia de la gracia.

moralistas, todos los psicólogos, todos los artistas se han complacido en sorprender, analizar y retratar.

Tiene la explicación agustiniana la ventaja inapreciable de estar de acuerdo con lo que nos enseñan la experiencia y sentido íntimo. Todos sabemos que cuando en el pleno goce de nuestras facultades nos resolvemos a una acción, aceptamos su responsabilidad: es más: aun bajo el influjo de pasiones fuertes, ira, celos, amor, la voluntad puede acudir en nuestro auxilio; ¡quién habrá que, haciéndose violencia, no la haya llamado a veces, y—si merece el nombre de racional—no la haya visto obedecer al llamamiento! Pero tampoco ignora nadie que no siempre sucede así, y que hay ocasiones en que, como dice San Agustín, «por la resistencia habitual de la carne... el hombre ve lo que debe hacer, y lo desea sin poder cumplirlo». Si en principio se admite la libertad, hay que suponerla relativa, e incesantemente contrastada y limitada por todos los obstáculos que en el mundo encuentra. Jamás negó la sabia teología católica semejantes obstáculos, ni desconoció la mutua influencia del cuerpo y del alma, ni consideró al hombre espíritu puro, ajeno y superior a su carne mortal; y los psicólogos y los artistas aprendieron de la teología aquella sutil y honda distinción entre el *sentir* y el *consentir,* que da asunto a tanto dramático conflicto inmortalizado por el arte.

¡Qué horizontes tan vastos abre a la literatura esta concepción mixta de la voluntad humana!

Cualquiera pensará que nos hemos ido a mil leguas de Zola y del naturalismo; pues no es así; ya estamos de vuelta. El fatalismo vulgar, el determinismo providencialista de Epicteto y Lutero, los trasladó Zola a la región literaria, vistiéndoles ropaje científico moderno.

Mostraremos cómo.

Si al hablar de la teoría naturalista la personifico en Zola, no es porque sea el único a practicarla, sino porque la ha formulado clara y explícitamente en siete tomos de estudios crítico-literarios, sobre todo en el que lleva por título *La novela experimental*. Declara allí que el método del novelista moderno ha de ser el mismo que prescribe Claudio Bernard [5] al médico en su *Introducción al estudio de la medicina experimental;* y afirma que en todo y por todo se refiere a las doctrinas del gran fisiólogo, limitándose a escribir *novelista* donde él puso *médico*. Fundado en estos cimientos, dice que así en los seres orgánicos como en los inorgánicos hay un determinismo absoluto en las condiciones de existencia de los fenómenos. «La ciencia, añade, prueba que las condiciones de existencia de todo fenómeno son las mismas en los cuerpos vivos que en los inertes, por donde la fisiología adquiere igual certidumbre que la química y la física. Pero hay más todavía: cuando se demuestre que el cuerpo del hombre es una máquina, cuyas piezas, andando el tiempo, monte y desmonte el experimentador a su arbitrio, será forzoso pasar a sus actos pasionales e intelectuales, y entonces penetraremos en los dominios que hasta hoy señorearon la poesía y las letras. Tenemos química y física experimentales; en pos viene la fisiología, y después la novela experimental también. Todo se enlaza: hubo que partir del determinismo de los cuerpos inorgánicos para llegar al de los vivos; y puesto que sabios como Claudio Bernard demuestran ahora que al cuerpo humano lo rigen leyes fijas, pode-

[5] Claude B e r n a r d (1813-1878), célebre filósofo francés, uno de los más destacados representantes de la ciencia experimental.

mos vaticinar, sin que quepa error, la hora en que serán
formuladas a su vez las leyes del pensamiento y de las pasiones. Igual determinismo debe regir la piedra del camino
que el cerebro humano.» Hasta aquí el texto, que no peca
de oscuro, y ahorra el trabajo de citar otros.

Tocamos con la mano el vicio capital de la estética naturalista. Someter el pensamiento y la pasión a las mismas
leyes que determinan la caída de la piedra; considerar exclusivamente las influencias físico-químicas, prescindiendo hasta
de la espontaneidad individual, es lo que se propone el naturalismo y lo que Zola llama en otro pasaje de sus obras
«mostrar y poner de realce la bestia humana». Por lógica
consecuencia, el naturalismo se obliga a no respirar sino
del lado de la materia, a explicar el drama de la vida humana
por medio del instinto ciego y la concupiscencia desenfrenada. Se ve forzado el escritor rigurosamente partidario del
método proclamado por Zola, a verificar una especie de
selección entre los motivos que pueden determinar la voluntad humana, eligiendo siempre los externos y tangibles y
desatendiendo los morales, íntimos y delicados: lo cual, sobre
mutilar la realidad, es artificioso y a veces raya en afecta-
ción, cuando, por ejemplo, la heroína de *Una página de
amor* [6] manifiesta los grados de su enamoramiento por los
de temperatura que alcanza la planta de sus pies.

Y no obstante, ¿cómo dudar que si la psicología, lo mismo
que toda ciencia, tiene sus leyes ineludibles y su proceso
causal y lógico, no posee la exactitud demostrable que encontramos, por ejemplo, en la física? En física el efecto corresponde estrictamente a la causa: poseyendo el dato ante-

[6] *Une page d'amour.*

rior tenemos el posterior; mientras en los dominios del
espíritu no existe ecuación entre la intensidad de la causa
y del efecto, y el observador y el científico tienen que confesar, como lo confiesa Delbœuf [7] (testigo de cuenta, autor
de *La psicología considerada como ciencia natural*) «que
lo psíquico es irreductible a lo físico».

En esta materia le ha sucedido a Zola una cosa que
suele ocurrir a los científicos de afición: tomó las hipótesis
por leyes, y sobre el frágil cimiento de dos o tres hechos
aislados erigió un enorme edificio. Tal vez imaginó que hasta
Claudio Bernard nadie había formulado las admirables reglas del método experimental, tan fecundas en resultados
para las ciencias de la naturaleza. Hace rato que nuestro siglo aplica esas reglas, madres de sus adelantos. Zola quiere
sujetar a ellas el arte, y el arte se resiste, como se resistiría
el alado corcel Pegaso a tirar de una carreta; y bien sabe
Dios que esta comparación no es en mi ánimo irrespetuosa
para los hombres de ciencia; sólo quiero decir que su objeto
y caminos son distintos de los del artista.

Y aquí conviene notar el segundo error de la estética naturalista, error curioso que en mi concepto debe atribuirse
también a la ciencia mal digerida de Zola. Después de predecir el día en que, habiendo realizado los novelistas presentes y futuros gran cantidad de experiencias, ayuden a descubrir las leyes del pensamiento y la pasión, anuncia los
brillantes destinos de la novela experimental, llamada a regular la marcha de la sociedad, a ilustrar al criminalista, al
sociólogo, al moralista, al gobernante... Dice Aristófanes en
sus *Ranas*: «He aquí los servicios que en todo tiempo pres-

[7] Joseph Delbœuf, autor de   *La psycologie comme science naturelle.*

taron los poetas ilustres: Orfeo enseñó los sacros misterios y el horror al homicidio; Museo, los remedios contra enfermedades y los oráculos; Hesíodo, la agricultura, el tiempo de la siembra y recolección; y al divino Homero ¿de dónde le vino tanto honor y gloria, sino de haber enseñado cosas útiles, como el arte de las batallas, el valor militar, la profesión de las armas?...» Ha llovido desde Aristófanes acá. Hoy pensamos que la gloria y el honor del divino Homero consisten en haber sido un excelso poeta: el arte de las batallas es bien diferente ahora de lo que era en los días de Agamenón y Aquiles, y la belleza de la poesía homérica permanece siempre nueva e inmutable.

El artista de raza (y no quiero negar que lo sea Zola, sino observar que sus pruritos científicos le extravían en este caso) nota en sí algo que se subleva ante la idea utilitaria, que constituye el segundo error estético de la escuela naturalista. Este error lo ha combatido más que nadie el mismo Zola, en un libro titulado *Mis odios* (anterior a *La Novela experimental*), refutando la obra póstuma de Proudhon [8], *Del principio del arte y de su función social*. Es de ver a Zola indignado porque Proudhon intenta convertir a los artistas en una especie de cofradía de menestrales que se consagra al perfeccionamiento de la humanidad, y leer cómo protesta en nombre de la independencia sublime del arte, diciendo con donaire que el objeto del escritor socialista es sin duda comerse las rosas en ensalada. No hay artista que se avenga a confundir así los dominios del arte y de la ciencia: si el arte moderno exige reflexión, madurez y cultura, el arte de todas las edades reclama principalmente la

[8] P i e r r e-Joseph Proudhon (1809-1865), socialista francés, autor de teorías sobre la propiedad.

personalidad artística, lo que Zola, con frase vaga en demasía, llama el *temperamento*. Quien careciere de esa quisicosa,
no pise los umbrales del templo de la belleza, porque será
expulsado.

Puede y debe el arte apoyarse en las ciencias auxiliares;
un escultor tiene que saber muy bien anatomía, para aspirar
a hacer algo más que modelos anatómicos. Aquel sentimiento inefable que en nosotros produce la belleza, sea él lo que
fuere y consista en lo que consista, es patrimonio exclusivo
del arte. Yerra el naturalismo en este fin útil y secundario
a que trata de enderezar las fuerzas artísticas de nuestro siglo, y este error y el sentido determinista y fatalista de su
programa, son los límites que él mismo se impone, son
las ligaduras que una fórmula más amplia ha de romper.

III

SEGUIMOS FILOSOFANDO

Tal cual la expone Zola, adolece la estética naturalista de
los defectos que ya conocemos. Algunos de sus principios
son de grandes resultados para el arte; pero existe en el
naturalismo, considerado como cuerpo de doctrina, una limitación, un carácter cerrado y exclusivo que no acierto a explicar sino diciendo que se parece a las habitaciones bajas
de techo y muy chicas, en las cuales la respiración se difi-
culta. Para no ahogarse hay que abrir la ventana: dejemos
circular el aire y entrar la luz del cielo.

Si es *real* cuanto tiene existencia verdadera y efectiva, el *realismo* en el arte nos ofrece una teoría más ancha, completa y perfecta que el *naturalismo*. Comprende y abarca lo natural y lo espiritual, el cuerpo y el alma, y concilia y reduce a unidad la oposición del naturalismo y del idealismo racional. En el realismo cabe todo, menos las exageraciones y desvaríos de dos escuelas extremas, y por precisa consecuencia, exclusivistas.

Un hecho solo basta a probar la verdad de esto que afirmo. Por culpa de su estrecha tesis naturalista, Zola se ve obligado a desdeñar y negar el valor de la poesía lírica. Pues bien; para la estética realista vale tanto el poeta lírico más *subjetivo* e interior como el novelista más *objetivo*. Uno y otro dan forma artística a elementos reales. ¿Qué importa que esos elementos los tomen de dentro o de fuera, de la contemplación de su propia alma o de la del mundo? Siempre que una realidad—sea del orden espiritual o del material—sirva de base al arte, basta para legitimarlo.

Citemos cualquier poeta lírico, el menos exterior, lord Byron o Enrique Heine. Sus poesías son una parte de ellos mismos: esas quejas y tristezas y amarguras, ese escepticismo desconsolador, lo tuvieron en el alma antes de convertirlo en lindos versos: no hay duda que es un elemento real, tan real, o más, si se quiere, que lo que un novelista pueda averiguar y describir de las acciones y pensamientos del prójimo: ¿quién refiere bien una enfermedad sino el enfermo? Y aun por eso resultan insoportables los imitadores en frío de estos poetas tristes; son como el que remedase quejidos de dolor, no doliéndole nada.

El gran poeta Leopardi es un caso de los más característicos de lo que puede llamarse realidad poética interior. Las penas de su edad viril, la condición de su familia, la dureza de la suerte, sus estudios de humanidades y hasta los miedos que pasó de niño en una habitación oscura, todo está en sus poesías, como indeleble sello personal, de tal modo que, si suponemos a Leopardi viviendo en diferentes condiciones de las que vivió, ya no se concibe la mayor parte de sus versos. Y digo yo: ¿no es justísimo que quepa en la ancha esfera de la realidad una obra de arte donde el autor pone la medula de sus huesos y la sangre de su corazón, por decirlo así? Aun suponiendo, y es mucho suponer, que el poeta lírico no expresase sino sus propios e individuales sentimientos, y que éstos pareciesen extraños, ¿no es la excepción, el caso nuevo y la enfermedad desconocida lo que más importa a la curiosidad científica del médico observador?

Pero si todas las obras de arte que se fundan en la realidad caben dentro de la estética realista, algunas hay que cumplen por completo su programa, y son aquellas donde tan perfectamente se equilibran la razón y la imaginación, que atraviesan las edades viviendo vida inmortal. Las obras maestras universalmente reconocidas como tales, tienen todas carácter anchamente realista: así los poemas de Homero y Dante, los dramas de Shakespeare, el *Quijote* y el *Fausto*. La *Biblia,* considerada literariamente, dejando aparte su autoridad sagrada, es la epopeya más realista que se conoce.

A fin de esclarecer esta teoría, diré algo del idealismo, para que no pesen sobre el naturalismo todas las censuras y se vea que tan malo es caerse hacia el Norte como hacia el Sur. Y ante todo conviene saber que el idealismo está muy en olor de santidad, goza de excelente reputación y se cometen infinitos crímenes literarios al amparo de su nombre: es la teoría simpática por excelencia, la que invocan poetas de caramelo y escritores amerengados; el que se ajusta a sus cánones pasa por persona de delicado gusto y alta moralidad; por todo lo cual debe tratársele con respeto y no tomar la exposición de sus doctrinas de ningún zascandil. Busquémosla, pues, en Hegel y sus discípulos, donde larga y hondamente se contiene.

Entre naturalistas e idealistas hay el mismo antagonismo que entre Lutero y Pelagio. Si Zola niega en redondo el libre arbitrio, Hegel lo extiende tanto, que todo está en él y sale de él. Para Zola, el universo físico hace, condiciona, dirige y señorea el pensamiento y voluntad del hombre; para Hegel y sus discípulos ese universo no existe sino mediante *la idea*. ¿Qué digo ese universo? Dios mismo sólo *es* en cuanto *es idea;* y el que se asuste de este concepto será, según el hegeliano Vera [1], un impío o un insensato (a escoger). ¿Y qué se entiende por *idea?* La idea, en las doctrinas de Hegel, es principio de la naturaleza y de todos los seres en general, y la palabra *Dios* no significa sino la idea absoluta o el absoluto pensamiento. Consecuencias estéticas del sistema hegeliano. En opinión de Hegel, la esfera del arte es «una región superior, más pura y verdadera que lo real, donde todas las oposiciones de lo finito y de lo infinito desaparecen; donde la libertad, desplegándose sin límites ni obstáculos, alcanza su objeto supremo». Con este aleteo vertiginoso ya parece que nos hemos apartado de la tierra y que nos hallamos en las nubes, dentro de un globo aerostático. Espacios a la derecha, espacios a la izquierda, y en parte alguna suelo donde sentar los pies. Y es lo peor del caso que semejante concepción trascendental del arte la presenta Hegel con tal

---

[1] Augusto Vera (1813-1885), filósofo italiano.

profundidad dialéctica, que seduce. Lo cierto es que con esa libertad pelagiana que se despliega sin límites ni obstáculos, y con ese universo construido de dentro a fuera, cada artista puede dar por ley del arte su ideal propio, y decir, parodiando a Luis XIV: «La estética soy yo.» «El arte—enseña Hegel—restituye a aquello que en realidad está manchado por la mezcla de lo accidental y exterior, la armonía del objeto con su verdadera idea, rechazando todo cuanto no corresponda con ella en la representación; y mediante esa purificación produce lo ideal, mejorando la naturaleza, como suele decirse del pintor retratista.» Ya tiene el arte carta blanca para enmenderle la plana a la naturaleza y forjar «el objeto», según le venga en talante a «la verdadera idea».

Pongamos ejemplos de estas correcciones a la naturaleza, tomándolos de algún escritor idealista. Guilliatt, el héroe de *Los trabajadores del mar* de Víctor Hugo, es en realidad un hombre rudo, que casualmente se prenda de una muchacha y se ofrece a desempeñar un trabajo hercúleo para obtener su mano. Nada más natural y humano, en cierto modo, que este asunto. Pero, por medio del procedimiento de Hegel, el hombre se va agigantando, convirtiéndose en un titán; sostiene lucha colosal con los elementos desencadenados, con los monstruos marinos, venciéndolos, por supuesto; por si no basta, concluye siendo mártir sublime, y el autor decreta su apoteosis.

Sin salir de esta misma novela, *Los trabajadores del mar*, aún encontramos otro personaje más conforme que Gilliatt con las leyes de la estética idealista: el pulpo. Pulpos sin enmienda los vemos a cada paso en nuestra costa cantábrica; cuando aplican sus ventosas a la pierna de un bañista o de un marinero, basta por lo regular una sacudida ligera para soltarse; por acá, el inofensivo cefalópodo se come cocido, y es manjar sabroso, aunque algo coriáceo. Pero estos son los pulpos tal cual Dios los crió, la apariencia sensible del pulpo, que diría un hegeliano; lo real del pulpo, o sea su idea, es lo que Víctor Hugo aprovechó para dramatizar la acción de *Los trabajadores*. Allí el pulpo ideal, o la idea que se oculta bajo la forma del pulpo, crece, no sólo física, sino moralmente, hasta medir tamaño desmesurado: el pulpo es la sombra, el pulpo es el abismo, el pulpo es Lucifer. Así se corrige a la naturaleza.

Un héroe idealista de muy diversa condición que Gilliatt es el «Rafael» de Lamartine. Este no representa la fuerza y la abnegación, no es el león-cordero, sino la poesía, la melancolía, el amor insondable e infinito, el estado de ensueño perpetuo. Complácese el autor en describir la lindeza de Rafael, muy semejante a la del de Urbino, y además le atribuye las cualidades siguientes: «Si Rafael fuese pintor —dice—pintaría la Virgen de Foligno; si manejase el cincel, esculpiría la Psiquis de Canova; si fuese poeta, hubiera escrito los apóstrofes de Job a Jehová, las estancias de la Herminia del Tasso, la conversación de Romeo y Julieta a la luz de la luna, de Shakespeare; el retrato de Haydea, de lord Byron...» Ustedes creerán que Rafael se conforma con pintar lo mismo que su homónimo, esculpir como Canova y poetizar como Job, el Tasso, Shakespeare y Byron en una pieza. ¡Quia! El autor añade que, puesto en tales y cuales circunstancias, Rafael hubiese tendido a todas las cimas, como César, hablado como Demóstenes y muerto como Catón. Así se compone un héroe idealista de la especie sentimental.

¡Cuán preferible es retratar un ser humano, de carne y hueso, a fantasear maniquíes!

Los hombres de extraordinario talento suelen poseer la virtud de la lanza de Aquiles para curar las heridas que abren. En la *Poética* de Hegel doy con un párrafo que es el mejor programa de la novela realista. «Por lo que hace a la representación, la novela propiamente dicha exige también, como la epopeya, la pintura de un mundo entero y el cuadro de la vida, cuyos numerosos materiales y variado fondo se encierren en el círculo de la acción particular que es centro del conjunto. En cuanto a las condiciones especiales de concepción y ejecución, hay que otorgar al poeta ancho campo, tanto más libre, cuanto menos puede, en este caso, eliminar de sus descripciones la prosa de la vida real, sin que por eso él haya de mostrarse vulgar ni prosaico.» Si se tiene en cuenta la época en que Hegel escribió esto, cuando la novela analítica era la excepción, es más de admirar la exactitud de la apreciación independiente del sistema general hegeliano, como lo es también, en cierto modo, lo que dice acerca del fin y propósito del arte. En este terreno lleva inmensa ventaja a Zola: para Hegel, el arte es objeto propio de sí mismo, y referirlo a otra cosa, a la moral, por ejemplo, es desviarlo de su camino verdadero.

«El objeto del arte—declara el filósofo de Stuttgart—es manifestar la verdad bajo formas sensibles, y cualquiera otro que se proponga, como la instrucción, la purificación, el perfeccionamiento moral, la fortuna, la gloria, no conviene al arte considerado en sí.» El error que aquí nos sale al paso es que Hegel, al decir *verdad,* sobrentiende *idea,* pero al menos no saca a la belleza de su terreno propio; no confunde, como Zola, los fines del arte y de las ciencias morales y políticas.

El idealismo está representado en literatura por la escuela romántica, que Hegel consideraba la más perfecta, y en la cual cifraba el progreso artístico. Esta escuela, que tanto brilló en nuestro siglo, fue al principio piedra de escándalo, como lo es el naturalismo ahora. Sus instructivas vicisitudes merecen capítulo aparte.

IV

HISTORIA DE UN MOTÍN

Allá por los años de 1829, el conde Alfredo de Vigny, escritor delicado cuya aspiración era encerrarse en una *torre de marfil* para evitar el contacto del vulgo, dio al Teatro Francés la traducción y arreglo del *Otelo* de Shakespeare. Esta tragedia y las mejores del gran dramático inglés se conocían en Francia ya, merced a las adaptaciones de Ducis, que en 1792 había aderezado el *Otelo* al gusto de la época, con dos desenlaces distintos, uno el de Shakespeare, y otro «para uso de las almas sensibles». No juzgó el conde de Vigny necesarias tales precauciones, aunque sí atenuó en muchos pasajes la crudeza shakesperiana; gracias a lo cual el público se mostró resignado durante los primeros actos, y hasta aplaudió de tiempo en tiempo. Pero al llegar a la escena en que el moro, frenético de celos, pide a Desdémona el pañuelo bordado que le entregara en prenda de amor, la palabra *pañuelo (mouchoir)*, traducción literal de la inglesa *handkerchief,* produjo en el auditorio una explosión de risas, silbidos, pateos y chicheos. Esperaban los espectadores algún circunloquio, alguna perífrasis alambicada, como *cándido cendal* o cosa por el estilo, que no ofendiese sus cultas orejas; y al ver que el autor se tomaba la libertad de decir *pañuelo* a secas, armaron tal escándalo, que el teatro se caía.

Formaba parte Alfredo de Vigny de una escuela literaria entonces naciente, que venía a innovar y a transformar por completo la literatura. Dominaba el clasicismo a la sazón, no sólo en las esferas oficiales, sino en el gusto y opinión general, como lo demuestra la anécdota del *pañuelo.* ¡Tan mínima licencia causar tan terrible espanto! Es que lo que hoy nos parece leve, a la sazón era gravísimo. Las letras, a fuerza de inspirarse en los modelos clásicos, de sujetarse servilmente a las reglas de los preceptistas, y de pretender majestad, prosopopeya y elegancia, habían llegado a tal extremo de decadencia, que se juzgaba delito la naturalidad, y sacrilegio llamar a las cosas por su nombre, y las nueve décimas partes de las palabras francesas se hallaban proscritas a pretexto de no profanar la *nobleza del estilo.* Por eso el gran poeta que capitaneó la renovación literaria, Víctor Hugo, dijo en las *Contemplaciones:* «¡No haya desde hoy más vocablos patricios ni plebeyos! Suscitando una tempestad en el fondo de mi tintero, mezclé la negra multitud de las palabras con el blanco enjambre de las ideas, y exclamé: ¡De hoy más no existirá palabra en que no pueda posarse la idea bañada de éter!»

Una literatura que, como el clasicismo de principios del siglo, mermaba el lenguaje, apagaba la inspiración y se condenaba a imitar por sistema, había de ser forzosamente incolora, artificiosa y pobre; y los románticos, que venían a

abrir nuevas fuentes, a poner en cultura terrenos vírgenes,
llegaban tan a tiempo como apetecida lluvia sobre la tierra
desecada. Aunque al pronto el público se alborotase y pro-
testase, tenía que acabar por abrirle los brazos. Es curioso
que las acusaciones dirigidas al romanticismo incipiente se
parezcan como un huevo a otro a las que hoy se lanzan contra
el realismo. Leer la crítica del romanticismo hecha por un
clásico, es leer la del realismo por un idealista. Según los
clásicos, la escuela romántica buscaba adrede lo feo, susti-
tuía lo patético con lo repugnante, la pasión con el instinto;
registraba los pudrideros, sacaba a luz las llagas y úlceras
más asquerosas, corrompía el idioma y empleaba términos
bajos y viles.—¿No diría cualquiera que el objeto de esta
censura es *L'Assommoir?*

Sin arredrarse, proseguían los románticos su formidable
motín. En Inglaterra, Coleridge, Carlos Lamb, Southey,
Wordsworth, Walter Scott, rompían con la tradición, desde-
ñaban la cultura clásica y preferían a *La Eneida* una balada
antigua, y a Roma la Edad Media. En Italia, la renovación
dramática procedía del romanticismo, por medio de Man-
zoni. Alemania, verdadera cuna de la literatura romántica,
la poesía ya riquísima y triunfante. España, harta de poetas
sutiles y académicos, también se abrió gustosísima al carta-
ginés, que traía las manos llenas de tesoros. Pero en ninguna
parte fue el romanticismo tan fértil, militante y brioso como
en Francia. Sólo por aquel brillante y deslumbrador período
literario merecen nuestros vecinos la legítima influencia,
que no es posible disputarles, y que ejercen en la literatura
de Europa.

¡Magnífica expansión, rico florecimiento del ingenio humano! Sólo puede compararse a otra gran época intelectual: la

de esplendor de la filosofía escolástica. Y tiene de notable haber sido mucho más corta: nacido el romanticismo después que el siglo XIX, un gran crítico, Sainte-Beuve, habló de él en 1848 como de cosa cerrada y concluida, declarando que el mundo pertenecía ya a otras ideas, otros sentimientos, otras generaciones. Fue un relámpago de poesía, de belleza y de encendida claridad, al cual se le puede aplicar la estrofa de Núñez de Arce:

> *¡Qué espontáneo y feliz renacimiento!*
> *¡Qué pléyade de artistas y escritores!*
> *En la luz, en las ondas, en el viento*
> *hallaba inspiración el pensamiento,*
> *gloria el soldado y el pintor colores.*

Un individuo de la falange francesa, Dovalle [1], muerto en desafío a la edad de veintidós años, aconsejaba así al poeta romántico: «Ardiendo en amor y penetrado de armonías, deja brotar tus inflamados versos, y fogoso y libre pide a tu genio cantos nuevos e independientes. Si el cielo te disputa la sagrada chispa, vuela atrevido a robársela. ¡Vuela, mancebo! Sí, acuérdate de Ícaro: ¡él cayó, pero logró ver el cielo!»

Aunque del movimiento romántico francés descartemos a algunos de sus representantes que, como Alfredo de Musset y Balzac, no le pertenecen del todo y corresponden en rigor a distinta escuela, le queda una cantidad tal de nombres célebres, que bastan a enriquecer, no algunos lustros, sino un par de siglos. Chateaubriand—hoy desdeñado más de lo

---

[1] Carlos Dovalle (1807-1829), poeta francés.

justo—; el suave y melodioso Lamartine; Jorge Sand; Teófilo Gautier, tan perfecto en la forma; Víctor Hugo, coloso
que aún se mantiene de pie; Agustín Thierry, primer historiador artista, son suficientes para ello, sin contar los muchos autores, quizá secundarios, pero de indisputable valía,
que dan señal evidente de la fecundidad de una época y
pulularon en el romanticismo francés; Vigny, Mérimée, Gerardo de Nerval, Nodier, Dumas, y, en fin, una bandada
de dulces y valientes poetisas, de poetas y narradores originales que fuera prolijo citar. Teatro, poesía, novela, historia,
todo se vio instaurado, regenerado y engrandecido por la escuela romántica.

Nosotros, los del lado acá del Pirineo, satélites—mal que
nos pese—de Francia, recordamos también la época romántica como fecha gloriosa, experimentamos todavía su influencia y tardaremos bastante en eximirnos de ella. Dionos el
romanticismo a Zorrilla, que fue como el ruiseñor de nuestra aurora al par que el lucero melancólico de nuestro ocaso: místicos arpegios, notas de guzla, serenatas árabes, medrosas leyendas cristianas, la poesía del pasado, la riqueza
de las formas nuevas, todo lo expresó el poeta castellano con
tan inagotable vena, con tan sonora versificación, con tan
deleitable y nunca escuchada música, que aún hoy... ¡que
lo tenemos tan lejos ya!, parece que su dulzura nos suena
dentro, en el alma. A su lado, Espronceda alza la *byroniana*
frente; y el soldado poeta, García Gutiérrez, coge tempranos
laureles que sólo le disputa Hartzenbusch; el Duque de Rivas
satisface la exigencia histórico-pintoresca en sus romances,
y Larra, más romántico en su vida que en sus obras, con
agudo humorismo, con zumbona ironía, indica la transición
del período romántico al realista. Mucho antes de que em-

pezase a verificarse, aunque determinada por la francesa,
nuestra revolución literaria tuvo carácter propio: nada nos
faltó: andando el tiempo, si no poseímos un Heine y un
Alfredo de Musset, nos nacieron Campoamor y Bécquer.

Mas el teatro del combate decisivo, importa repetirlo, fue
Francia. Allí hubo ataque impetuoso por parte de los disi-
dentes, y tenaz resistencia por la de los conservadores. Baour-
Lormian [2], en una comedia titulada *El clásico y el romántico,*
establecía la sinonimia de *clásico* y *hombre de bien,* de *ro-*
mántico y *pillo:* y siguiendo sus huellas, siete literatos clásicos netos elevaron a Carlos X una exposición donde le ro-
gaban que toda pieza contaminada de romanticismo fuese
excluida del Teatro Francés, a lo cual el rey contestó, con
muy buen acuerdo, que en materia de poesía dramática él
no tenía más autoridad que la de espectador, ni más puesto
que el asiento que ocupaba.

A su vez los románticos provocaban la lucha, retaban al
enemigo, y se mostraban díscolos y sediciosos hasta lo sumo.
Reíanse a mandíbula batiente de las tres unidades de Aristóteles; mandaban a paseo los preceptos de Horacio y Boi-
leau (sin ver que muchos de ellos son verdades evidentes dic-
tadas por inflexible lógica, y que el preceptista no pudo inventar, como ningún matemático inventa los axiomas fundamentales, primeros principios de la ciencia), y se divertían
en chasquear a los críticos que les eran adversos, como in-
geniosamente lo hizo Carlos Nodier [3]. Este docto filólogo y
elegante narrador publicó una obra titulada *Smarra,* y los
críticos, tomándola por engendro romántico, la censuraron

---

[2] Pierre B a o u r-L o r m i a n
(1770-1854), poeta francés, traductor de las poesías de Ossian.

[3] Charles Nodier (1780-1844),
literato francés, autor de *Trilly,*
La fée aux miettes, etc.

acerbamente. ¡Cuál no sería su sorpresa al enterarse de que *Smarra* se componía de pasajes traducidos de Homero, Virgilio, Estacio, Teócrito, Catulo, Luciano, Dante, Shakespeare y Milton!

Hasta en los pormenores de indumentaria querían los románticos manifestar independencia y originalidad, sin cuidarse de evitar la extravagancia. Son proverbiales y características las melenas de entonces, y famoso el traje con que Teófilo Gautier asistió al memorable estreno del *Hernani,* de Víctor Hugo. Componíase el traje en cuestión de chaleco de raso cereza, muy ajustado, a manera de coleto, pantalón verde pálido con franja negra, frac negro con solapas de terciopelo, sobretodo gris forrado de raso verde, y a la garganta una cinta de *moiré,* sin asomos de tirilla ni cuello blanco. Semejante atavío, escogido adrede para escandalizar a los pacíficos ciudadanos y a los clásicos asombradizos, produjo casi tanto efecto como el drama.

No se limitaba el romanticismo a la literatura: trascendía a las costumbres. Es una de sus señas particulares haber puesto en moda ciertos detalles, ciertas fisonomías, las damiselas pálidas y con tirabuzones, los héroes desesperados y en último grado de tisis, la orgía y el cementerio. Varió totalmente el concepto que se tenía del literato: éste era por lo general, en otros tiempos, persona inofensiva, apacible, de retirado y estudioso vivir: desde el advenimiento del romanticismo se convirtió en calavera misántropo, al cual las musas atormentaban en vez de consolarle, y que ni andaba, ni comía, ni se conducía en nada como el resto del género humano, encontrándose siempre cercado de aventuras, pasiones y disgustos profundísimos y misteriosos. Y que no todo era ficticio en el tipo romántico, lo prueba la azarosa vida de Byron, el precoz hastío de Alfredo Musset, la demencia y el suicidio de Gerardo de Nerval, las singulares vicisitudes de Jorge Sand, las volcánicas pasiones y trágico fin de Larra, los desahogos y vehemencias de Espronceda. No hay vino que no se suba a la cabeza si se bebe con exceso, y la ambrosía romántica fue sobrado embriagadora para que no se trastornasen los que la gustaban en la copa divina del arte.

¡Tiempos heroicos de la literatura moderna! Sólo la ciega intolerancia podrá desconocer su valor y considerarlos únicamente como preparación para la edad realista que empieza. Y no obstante, al llamar a la vida artística lo feo y lo bello indistintamente, al otorgar carta de naturaleza en los dominios de la poesía a todas las palabras, el romanticismo sirvió la causa de la realidad. En vano protestó Víctor Hugo declarando que vallas infranqueables separan a la realidad según el arte, de la realidad según la naturaleza. No impedirá esta restricción calculada que el realismo contemporáneo, y aun el propio naturalismo, se funden y apoyen en principios proclamados por la escuela romántica.

V

ESTADO DE LA ATMÓSFERA

Lo que se ve claramente al estudiar el romanticismo y fijar en él una mirada desapasionada, es que tenía razón Sainte-Beuve; que su vida fue tan corta como intensa y brillante, y que desde mediados del siglo ha muerto, de-

jando numerosa descendencia. Porque la clausura del período romántico no se debió a que aquel clasicismo rancio
y anémico de otros días resucitase para imperar de nuevo;
ni semejantes restauraciones caben en los dominios de la
inteligencia, ni el entendimiento humano es ningún costal
que se vacíe cuando está muy lleno, quedando encima lo
de abajo, como suele decirse de las modas. Acertaba madama Staël al declarar que ni el arte ni la naturaleza rein-
ciden con precisión matemática; sólo vuelve y es restaurado
lo que sobrevive a la crítica y cuela al través de su fino
tamiz; así del clasicismo renacen hoy cosas realmente buenas y bellas que en él hubo, o que por lo menos, si no son
buenas y bellas, están en armonía con las exigencias de la
época presente y del actual espíritu literario. Lo propio sucede al romanticismo: de él sobrevive cuanto sobrevivir
merece, mientras sus exageraciones, extravíos y delirios pasaron como torrente de lava, abrasando el suelo y dejando
en pos inútil escoria. Una literatura nueva, que ni es clásica
ni romántica, pero que se origina de ambas escuelas y propende a equilibrarlas en justa proporción, va dominando
y apoderándose de la segunda mitad del siglo XIX. Su fórmula no se reduce a un eclecticismo dedicado a encolar
cabezas románticas sobre troncos clásicos, ni a un sincretis-
mo que mezcle, a guisa de legumbres en menestra, los elementos de ambas doctrinas rivales. Es producto natural,
como el hijo en quien se unen sustancialmente la sangre
paterna y la materna, dando por fruto un individuo dotado
de espontaneidad y vida propia.

Me parece ocioso insistir en demostrar lo que no puede
ni discutirse, a saber, que existen formas literarias recientes, y que las antiguas decaen y se extinguen poco a poco.

Sería estudio curioso el de la disminución gradual de la influencia romántica, no sólo en las letras, sino en las costumbres. Sin rasgar el velo que cubre la vida privada, considero fácil poner de relieve el notable cambio que han sufrido los hábitos literarios y el estado de ánimo de los escritores. Desde hace algunos años calmóse la efervescencia de los cerebros, atenuóse aquella irritabilidad enfermiza, o *subjetivismo,* que tanto atormentaba a Byron y Espronceda, y entramos en un período de mayor serenidad y sosiego. Nuestros grandes autores y poetas contemporáneos viven como el resto de los mortales; sus pasiones—si es que las experimentan—laten escondidas en el fondo de su alma, y no se desbordan en sus libros ni en sus versos; el suicidio perdió prestigio a sus ojos, y no lo buscan ni en el exceso de desordenados placeres ni en ningún pomo de veneno o arma mortífera. En vestir, en habla y conducta, son idénticos a cualquiera, y el que por la calle se tropiece con Núñez de Arce o Campoamor sin conocerlos, dirá que ha visto dos caballeros bien portados, el uno de pelo blanco, el otro algo descolorido, que no tienen nada de particular. Todo París conoce la existencia *burguesa* y metódica de Zola, encariñadísimo con su familia; y si no fuera que siempre comete indiscreción quien descubre intimidades del hogar, por inocentes que sean, yo añadiría en este respecto, al nombre del novelista francés, algunos muy ilustres en España.

Lo cual no quiere decir que se haya concluido la vaga tristeza, la contemplación melancólica, el soñar cosas diferentes de las que nos ofrece la realidad tangible, el descontento y sed del alma y otras enfermedades que sólo aquejan a espíritus altos y poderosos, o tiernos y delicados. ¡Ah, no

por cierto! Esa poesía interior no se agotó: lo proscrito es
su manifestación inoportuna, afectada y sistemática. Los
soñadores proceden hoy como aquellos frailecitos humildes
y santas monjas que, al desempeñar los menesteres de la cocina o barrer el claustro, sabían muy bien traer el pensamiento embebido en Dios, sin que por fuera pareciese sino que
atendían enteramente al puchero y a la escoba. No es nuestra edad tan positiva como aseguran gentes que la miran
por alto, ni hay siglo en que la condición humana se mude
del todo y el hombre encierre bajo doble llave algunas de
sus facultades, usando sólo de las que le place dejar fuera.
La diferencia consiste en que el romanticismo tuvo ritos,
a los cuales, en el año de 1882, nadie se sujetaría sin que
le retozase la risa en el cuerpo. Si en el estreno del drama
más discutido de Echegaray se presentase alguien con el
estrafalario atavío de Teófilo Gautier en *Hernani,* puede
que lo mandasen a Leganés [1].

Ahora bien: si el romanticismo ha muerto y el clasicismo no ha resucitado, será que la literatura contemporánea
encontró otros moldes, como suele decirse, que le vienen
más cabales o más anchos. Tengo por difícil juzgar ahora
estos moldes: indudablemente es temprano: no somos aún
la posteridad, y quizá no acertaríamos a manifestarnos imparciales y sagaces. Sólo es lícito indicar que una tendencia
general, la realista, se impone a las letras, aquí contrastada
por lo que aún subsiste del espíritu romántico, allá acen-
tuada por el naturalismo, que es su nota más aguda, pero
en todas partes vigorosa y dominante ya, como lo prueba
el examen de la producción literaria en Europa.

[1] Manicomio nacional de San-ta Isabel, en el pueblo de Le-ganés, próximo a Madrid.

De la generación romántica francesa sólo queda en pie
Víctor Hugo, materialmente, porque vive; moralmente hace
tiempo que no se cuenta con él; sus últimas obras no se
pueden leer con gusto, ni casi con paciencia, y los autores
franceses cuya celebridad atraviesa el Pirineo y los Alpes
esparciéndose por todo el mundo civilizado, son realistas
y naturalistas. Inglaterra ha visto caer uno a uno los co-
losos de su período romántico, Byron, Southey, Walter
Scott, y venir a reemplazarlos una falange de realistas de
talento singular: Dickens, que se paseaba por las calles de
Londres días anteros anotando en su cartera lo que oía, lo
que veía, las menudencias y trivialidades de la vida coti-
diana; Thackeray, que continuó las vigorosas pinturas de
Fielding; y por último, como corona de este renacimiento
del genio nacional, Tennyson, el poeta del *home,* el cantor
de los sentimientos naturales y apacibles, de la familia, de
la vida doméstica y del paisaje tranquilo. España... ¿Quién
duda que también España propende, si no tan resuelta-
mente como Inglaterra, por lo menos con fuerza bastante,
a recobrar en literatura su carácter castizo y propio, más
realista que otra cosa? Se han establecido de algún tiempo
acá corrientes de purismo y arcaísmo, que si no se desbordan, serán muy útiles y nos pondrán en relación y contacto
con nuestros clásicos, para que no perdamos el gusto y sabor de Cervantes, Hurtado y Santa Teresa. No sólo los escritores primorosos y un tanto amanerados, como Valera,
sino los que escriben libremente, *ex toto corde,* como Galdós, desempolvan, limpian de orín y dan curso a frases
añejas, pero adecuadas, significativas y hermosas. Y no es
únicamente la forma, el estilo, lo que va haciéndose cada
vez más nacional en los escritores de nota; es el fondo y

la índole de sus producciones. Galdós con los admirables *Episodios* y las *Novelas contemporáneas,* Valera con sus elegantes novelas andaluzas, Pereda con sus frescas narraciones montañesas, llevan a cabo una restauración, retratan nuestra vida histórica, psicológica, regional; escriben el poema de la moderna España. Hasta Alarcón, el novelista que más conserva las tradiciones románticas, luce entre sus obras un precioso capricho de Goya, un cuento español por los cuatro costados, *El sombrero de tres picos.* La patria va reconciliándose consigo misma por medio de las letras.

En resumen, la literatura de la segunda mitad del siglo XIX, fértil, variada y compleja, presenta rasgos característicos: reflexiva, nutrida de hechos, positiva y científica, basada en la observación del individuo y de la sociedad, profesa a la vez el culto de la forma artística, y lo practica, no con la serena sencillez clásica, sino con riqueza y complicación. Si es realista y naturalista, es también refinada; y como a su perspicacia analítica no se esconde ningún detalle, los traslada prolijamente, y pule y cincela el estilo.

Nótase en ella cierto renacimiento de las nacionalidades, que mueve a cada pueblo a convertir la mirada a lo pasado, a estudiar sus propios excelsos escritores, y a buscar en ellos aquel perfume peculiar o inexplicable que es a las letras de un país lo que a ese mismo país su cielo, su clima, su territorio. Al par se observa el fenómeno de la imitación literaria, la influencia recíproca de las naciones, fenómeno ni nuevo ni sorprendente, por más que alardeando de patriotismo lo condenen algunos con severidad irreflexiva.

La imitación entre naciones no es caso extraordinario, ni tan humillante para la nación imitadora como suele decirse. Prescindamos de los latinos, que calcaron a los griegos; nosotros hemos imitado a los poetas italianos; Francia a su vez imitó nuestro teatro, nuestra novela: uno de sus autores más célebres, admirado por Walter Scott, Lesage, escribió el *Gil Blas, El Bachiller de Salamanca* y *El diablo cojuelo,* pisando las huellas de nuestros escritores del género picaresco; en el período romántico, Alemania brindó inspiración a los franceses, que a su vez influyeron notablemente en Heine; y esto fue de modo que si cada nación hubiese de restituir lo que le prestaron las demás, todas quedarían, si no arruinadas, empobrecidas cuando menos. A propósito de imitación decía Alfredo de Musset con su donaire acostumbrado: «Acúsanme de que tomé a Byron por modelo. ¿Pues no saben que Byron imitaba a Pulci?[2]. Si leen a los italianos, verán cómo los desvalijó. Nada pertenece a nadie, todo pertenece a todos; y es preciso ser ignorante como un maestro de escuela para forjarse la ilusión de que decimos una sola palabra que nadie haya dicho. Hasta el plantar coles es imitar a alguien.»

La evolución (no me satisface la palabra, pero no tengo a mano otra mejor) que se verifica en la literatura actual y va dejando atrás al clasicismo y al romanticismo, transforma todos los géneros. La poesía se modifica y admite la realidad vulgar como elemento de belleza: fácil es probarlo con sólo nombrar a Campoamor. La historia se apoya cada vez más en la ciencia y en el conocimiento analítico de las sociedades. La crítica dejó de ser magisterio y pontificado, convirtiéndose en estudio y observación incesante. El teatro mismo, último refugio de lo convencional artístico, entreabre sus puertas, si no a la verdad, por lo menos a la

---

[2] Luigi Pulci (1432 - 1484), poeta florentino autor de la epopeya *Morgante Maggiore.*

verosimilitud invocada a gritos por el público, que si acepta y aplaude bufonadas, magias, pantomimas y hasta *fantoches* como mero pasatiempo o diversión de los sentidos, en cuanto entiende que una obra escénica aspira a penetrar en el terreno del sentimiento y de la inteligencia, ya no le da tan fácilmente pasaporte. Pero donde más victoriosa se entroniza la realidad, donde está como en su casa, es en la novela, género predilecto de nuestro siglo, que va sobreponiéndose a los restantes, adoptando todas las formas, plegándose a todas las necesidades intelectuales, justificando su título de *moderna epopeya.* Ya es hora de concretarnos a la novela, puesto que en su campo es donde se produce el movimiento realista y naturalista con actividad extraordinaria.

VI

GENEALOGÍA

La forma primaria de la novela es el cuento, no escrito, sino oral, embeleso del pueblo y de la niñez. Cuando al amor de la lumbre, durante las largas veladas de invierno, o hilando su rueca al lado de la cuna, las tradicionales abuela y nodriza refieren en incorrecto y sencillo lenguaje medrosas leyendas o morales apólogos, son..., ¡quién lo diría!, predecesoras de Balzac, Zola y Galdós.

Pocos pueblos del mundo carecen de estas ficciones. La India fue riquísimo venero de ellas, y las comunicó a las comarcas occidentales, donde por ventura las encuentra algún sabio filólogo y se admira de que un pastor le refiera la fábula sánscrita que leyó el día antes en la colección de Pilpay [1]. Arabes, persas, pieles rojas, negros, salvajes de Australia, las razas más inferiores e incivilizadas, poseen sus cuentos. ¡Cosa rara!: el pueblo escaso de semejante género de literatura es el que nos impuso y dio todos los restantes, a saber, Grecia. Se cree que Esopo hubo de ser esclavo en algún país oriental para traer al suyo los primeros apólogos y fábulas. De novela, ni señales en las épocas gloriosas de la antigüedad clásica. Hasta cuatro siglos antes de nuestra era, cuando tenían ya los griegos sus admirables epopeyas, teatro, poesía lírica, filosofía e historia, no aparece la primer ficción novelesca, la *Ciropedia* de Jenofonte, narración moral y política que no carece de analogía con el *Telémaco;* el período ático—así se llama todo el tiempo en que florecieron las letras helenas—no presenta otro novelista ni otra novela, pues no se sabe que Jenofonte reincidiese. Los chinos, que en todo madrugan, poseyeron novelas desde tiempos remotos; pero como la cultura occidental arranca de Grecia, si quisiésemos rendir homenaje a nuestro primer novelista, tendríamos que celebrar el milenario, o cosa así, de Jenofonte.

Durante el período de decadencia literaria que comenzó en Alejandría, sale a luz en el siglo de Augusto una linda novela pastoral, las *Eubeanas,* de Dión Crisóstomo [2]. ¡No parece sino que la fantasía novelesca estaba aguardando, para manifestarse libremente, la venida del Cristianismo! Y muy a sus anchas debió de volar desde entonces, y mucho abundarían las ficciones descabelladas y las *fábulas mi-*

---

[1] Brahmán legendario al que se atribuyen la mayoría de los apólogos indios.

[2] Dión Crisóstomo, retórico griego del siglo I que defendió el estoicismo.

lesias, cuando en el siglo II Luciano de Samosata, escritor escéptico y agudísimo, como quien dice, el Voltaire del paganismo, creyó necesario atacarlas en la misma guisa que Cervantes atacó después los libros de caballería, parodiándolas en dos novelas satíricas, la *Historia verdadera* y el *Asno.*

En efecto, la literatura de aquellos primeros siglos del Cristianismo, si cuenta con alguna buena novela, como *Las Babilonias* de Jámblico,[3] está plagada de patrañas, milagrerías e invenciones fantásticas, de biografías e historias sin pies ni cabeza, de cuentos referentes a Homero, Virgilio y otros poetas y héroes, de Evangelios, leyendas y actas apócrifas, algunas de muy galana invención; por donde se ve que el linaje de las novelas, con no ser tan antiguo como el de otros géneros, puede preciarse de ilustre, ya que un parentesco de afinidad le une a la literatura sagrada. La era de la novela griega concluye con *Dafnis y Cloe, Amores de Teágenes y Clariclea,* las narraciones de Aquiles Tacio, las *Efesianas* de Jenofonte de Efeso, las *Cartas* de Aristenetes: género especial de novela erótica donde el paganismo moribundo se complacía en adornar con prolijas guirnaldas y festones el altar arruinado del amor clásico.

Sobreviene la Edad Media: cambian personajes, asuntos y escritores; la novela es poema épico, canción de gesta o *fabliau;* sus protagonistas, Jasón, Edipo, los Doce Pares, el Rey Artús, Flora y Blancaflor, Lanzarote, Parcival, Guarino, Tristán e Iseo; los argumentos, la conquista del Santo Grial, la guerra de Troya, la de Tebas; los autores, troveros o clérigos. Muy rudimentariamente, ya se conte-

---

[3] Jámblico (siglo IV), filósofo de la escuela neoplatónica.

nían allí los libros de caballerías y la novela histórica, así como las crónicas de los Santos y *leyendas doradas* encerraban el germen de la novela psicológica, de menos acción y movimiento, pero más delicada y sentida. Francia e Inglaterra se llevaron la palma en este género de historias romancescas, de paladines, aventuras, hazañas y maravillas: bien nos desquitamos nosotros en el siglo XVI.

Semejante a los jardines encantados que por arte de magia hacía florecer en lo más crudo del invierno algún alquimista, abriéronse de pronto en nuestra patria los cálices, pintados de gules, sinople y azul, de la literatura andantesca. No habían penetrado en España las crónicas y proezas de los héroes carlovingios, los amoríos de Lanzarotes y Tristanes ni los embustes de Merlín, pero en cambio moraba ya entre nosotros, amén del brioso Campeador real, el Cid ideal, el caballero perfecto, puro y heroico hasta la santidad; el muy *fermoso* y nunca bien ponderado Amadís de Gaula, patriarca de la Orden de Caballería, tipo tan caro a nuestra imaginación meridional e hidalga, que ya a principios del siglo XV, los perros favoritos de los magnates castellanos se llamaban Amadís, como ahora se llamarían *Bismarck* o *Garibaldi*. ¿Nació el padre Amadís en Portugal o en Castilla? Decídanlo los eruditos: lo cierto es que calentó su cabeza el sol ibérico, el sol que derretía los sesos de Alonso Quijano errante por las abrasadoras llanuras manchegas, y que su interminable posteridad, como retoños de oliva, brotó en el campo de las letras españolas. ¡Oh, y cuán fecundo himeneo fue aquel del firme y casto Amadís con la incomparable señora Oriana!

Un mundo, un mundo imaginario, poético, dorado, misterioso y extranatural como el que vio el caballero de la

Triste Figura en el fondo de la cueva de Montesinos, se alza en pos del hijo del Rey Perión de Gaula. Lisuartes, Floriseles y Esferamundis; caballeros del Febo, de la Ardiente Espada, de la Selva; hermosísimas doncellas, *feridas* de punta de amores; dueñas rencorosas o doloridas; reinas y emperatrices de regiones extrañas, de ínsulas remotas, de comarcas antípodas, adonde algún alígero dragón transportaba en un decir Jesús al andante; enanos, jayanes, moros y magos, endriagos y vestiglos, sabios con barbas que les besaban los pies, y princesas encantadas con pelo que les cubría el cuerpo todo; castillos, simas, opulentos camarines, lagos de pez que encerraban ciudades de oro y esmeraldas; cuanto brotó la fantasía de Ariosto, cuanto en melodiosas octavas cantó Torcuato Tasso, lo narraron en prosa castellana, rica, ampulosa, conceptuosa, henchida de retruécanos y tiquismiquis amatorios, García Ordóñez de Montalvo [4], Feliciano de Silva [5], Toribio Fernández [6], Pelayo de la Ribera [7], Luis Hurtado [8] y otros mil noveladores de la falange cuya lectura secó el cerebro de Don Quijote y cuyo estilo parecía de perlas al buen hidalgo. «¡Oh, que quiero—dice una heroína andantesca, la reina Sidonia—dar fin a mis razones por la sinrazón que hago de quejarme de aquel que no la guarda en sus leyes!»

Apresúrate, llega ya, manco glorioso, que haces gran fal-

---

[4] García Ordóñez de Montalvo, refundidor del *Amadís de Gaula* (1508) y autor de su quinto libro.

[5] Feliciano de Silva (1492?-1560), autor de un libro de *Amadís* y de *Don Florisel de Niquea*.

[6] Autor de novelas caballerescas.

[7] Debe referirse a Páez de Ribera, autor del sexto libro de *Amadís de Gaula*.

[8] Hoy se rechaza como autor de *Palmerín de Inglaterra* a Luis Hurtado de Toledo.

ta en el siglo: ase la péñola y descabézame luego al punto ese ejército de gigantes, que al tocarles tú se volverán inofensivos cueros de vino tinto: hendiráslos de una sola cuchillada, y perdiendo su savia embriagadora, se quedarán aplastados y hueros. ¡Ven, Miguel de Cervantes Saavedra, a concluir con una ralea de escritores disparatados, a abatir un ideal quimérico, a entronizar la realidad, a concebir la mejor novela del mundo!

Notemos aquí un pormenor muy importante. Si bien la novela caballeresca prendió, arraigó y fructificó tan lozana y copiosamente en nuestro suelo, ello es que nos vino de fuera. *Amadís,* en su origen, es una leyenda del ciclo bretón, importada a España por algún fugitivo trovador provenzal. *Tirante el blanco* [9], otro libro primitivo andantesco, fue trasladado del inglés al portugués y al lemosín. Las aventuras de los andantes caballeros ocurren en Bretaña, en Gales, en Francia. Aunque diestramente adaptadas sus historias a nuestra habla, y leídas con deleite y hasta con entusiasta furor, no pierden jamás un dejo extranjerizo que repugna al paladar nacional. Venga un Cervantes; que escriba en forma de novela una historia llena de verdad y de ingenio, protesta del ingenio patrio contra el falso idealismo y los enrevesados discursos que nos pronuncian héroes nacidos en otros países, y al punto se hará popular su obra, y la celebrarán las damas, y la reirán los pajes, y se leerá en los salones y en las antesalas, y sepultará en el olvido las soñadas aventuras caballerescas: olvido tan rápido y total como ruidosa era su fama y aplauso.

---

[9] Libro de caballerías escrito en catalán por mosén Joanot Martorell en 1460 y continuado por Juan de Galba. Su título original es *Tirant lo Blanch*.

De andar en manos de todo el mundo, pasaron los libros de caballerías a ser objeto de curiosidad. Sus autores eran contemporáneos de Herrera, Mendoza y los Luises. ¿Quién se acuerda hoy de aquellos fecundos novelistas, tan caros a su época? ¿Quién sabe, a no buscarlo exprofeso en un manual de literatura, el nombre del ingenio que compuso, verbigracia, *Don Cirongilio de Tracia?* [10].

No me es posible persuadirme—digan lo que quieran los trascendentalistas—a que Cervantes, cuando escribió el *Quijote,* no quiso realmente atacar los libros de caballerías, y matar en ellos una literatura exótica que robaba a la castiza todo el favor del público. Y lo creo así, en primer lugar, porque si la literatura caballeresca no hubiese alcanzado desarrollo y preponderancia alarmante, Cervantes, al combatirla, procedería como su héroe, tomando los carneros por ejércitos, y batiéndose con los molinos de viento; y en segundo, porque juzgando analógicamente, comprendo bien que si un realista contemporáneo poseyese el talento asombroso de Cervantes, lo emplease en escribir algo contra el género idealista, sentimental y empalagoso que aún goza hoy del favor del vulgo, como los libros de caballerías, en tiempos de Cervantes. Por lo demás, claro que el *Quijote* no es mera sátira literaria. ¡Qué ha de ser, si es lo más grande y hermoso que se ha escrito en el género novelesco!

El principal mérito literario de Cervantes—dejando aparte el valor intrínseco del *Quijote* como obra de arte— consiste en haber reanudado la tradición nacional, haciendo

[10] *Don Cirongilio de Tracia,* libro de caballerías impreso en Sevilla en 1545. Su autor es Bernardo de Vargas.

que al concepto del Amadís forastero y tan quimérico como Artús y Roldán reemplace un tipo real como nuestro héroe castellano el Cid Rodrigo Díaz, que con mostrarse siempre valeroso y honrado, y noble y comedido, y cristiano, lo mismo que el solitario de la Peña Pobre, es además un ser de carne y hueso y manifiesta afectos, pasiones y hasta pequeñeces humanas, ni más ni menos que Don Quijote; con ellos me entierren y no con la dilatada estirpe de los Amadises.

No inventó Cervantes la novela realista española porque ésta ya existía y la representaba *La Celestina,* obra maestra, más novelesca todavía que dramática, si bien escrita en diálogo. Ningún hombre, aunque atesore el genio y la inspiración de Cervantes, inventa un género de buenas a primeras: lo que hace es deducirlo de los antecedentes literarios. Mas no importa: el *Quijote* y el *Amadís* dividen en dos hemisferios nuestra literatura novelesca. Al hemisferio del *Amadís* se pueden relegar todas las obras en que reina la imaginación, y al del *Quijote* aquellas en que predomina el carácter realista, patente en los monumentos más antiguos de las letras hispanas. En el primero caben, pues, los innumerables libros de caballerías, las novelas pastoriles y alegóricas, sin excluir la misma *Galatea* y el *Persiles,* de Cervantes; en el segundo las novelas *ejemplares y picarescas:* el *Lazarillo, El gran tacaño, Marcos de Obregón, Guzmán de Alfarache;* los cuadros llenos de luz y color de *La gitanilla,* el humorístico *Coloquio de los perros, El diablo cojuelo,* de Guevara; el cuento donosísimo de *Los tres maridos burlados,* y... ¿a qué citar? ¿Cuándo acabaríamos de nombrar y encarecer tantas obras maestras de gracia, observación, donosura, ingenio, desenfado, vida, estilo y

sentenciosa profundidad moral? Mientras el territorio idealista se pierde, se hunde cada vez más en las nieblas del
olvido, el realista, embellecido por el tiempo—como sucede
a los lienzos de Velázquez y Murillo—basta para hacer que
el pasado de nuestra literatura recreativa sea sin par en
el orbe.

Esta brevísima excursión por el campo de la novela desde su nacimiento hasta la aurora de los tiempos modernos,
en los cuales tanto se enriqueció y tantas metamorfosis su-
frió, nos enseña cuán mudable es el gusto y cómo las épocas
forman la literatura a su imagen. ¡Qué diferencia, por ejemplo, entre tres obras recreativas: *Dafnis y Cloe, Amadís de
Gaula* y *El gran tacaño!* Me represento a *Dafnis y Cloe* como un bajorrelieve pagano cincelado, no en puro mármol,
sino en alabastro finísimo. Sobre el fondo de una rústica
cueva, donde se alza el ara de las ninfas rodeada de flores,
retozan el zagal y la zagala adolescentes, y a su lado brinca
una cabra y yace caído el zurrón, el cayado, los odres llenos
de leche fresca; el diseño es elegante, sin vigor ni severidad,
pero no sin cierta gracia y refinada molicie que blandamente
recrean la vista. *Amadís* es un tapiz cuyas figuras se prolon-
gan, más altas del tamaño natural; el paladín, armado de
punta en blanco, se despide de la dama cuyos pies encubre
el largo brial y cuyas delicadas manos sostienen una flor;
entre los colores apagados de la tapicería, resplandecen aquí
y allí lizos de oro y plata; en el fondo hay una ciudad de
edificios cuadrangulares, simétricos, como las pintan en los
códices. Y por último, *El gran tacaño* es a manera de pintura, de la mejor época de la escuela española; Valázquez,
sin duda fue quien destacó del lienzo la figura pergaminosa
y enjuta del Dómine Cabra; sólo Velázquez podría dar se-

mejante claroscuro a la sotana vieja, al rostro amarillento, al mueblaje exiguo del avaro. ¡Qué luz! ¡Qué sombras! ¡Qué violentos contrastes! ¡Qué pincel valiente, franco, natural y cómico a un tiempo! *Dafnis y Cloe* y *Amadís* no tienen más vida que la del arte; *El gran tacaño* vive en el arte y en la realidad.

VII

PROSIGUE LA GENEALOGÍA

En achaque de novelas hemos madrugado bastante más que los franceses. Hartos estábamos ya de producir historias caballerescas, y florecía en nuestro Parnaso el género picaresco y pastoril, mientras ellos no poseían un mal libro de entretenimiento en prosa, si se exceptúan algunas *nouvelles*.

Sin embargo, cuando en sus tratados de literatura llegan nuestros vecinos al siglo XVI, no se olvidan jamás de decir que también tuvieron por entonces su Cervantes. Veamos quién fue el tal.

Poseído de la embriaguez de letras humanas que caracterizó al Renacimiento, cierto fraile franciscano, hijo de un ventero turenés, se dio a estudiar el griego, descuidando totalmente los deberes de su regla. Día y noche vivía encerrado en la celda con un compañero, y en vez de maitines, ambos recitaban trozos de Luciano o de Aristófanes. Sorprendidos por el padre superior, fuéles impuesta penitencia; y cuéntase—aunque los historiadores no lo dan por cosa averiguada—que desde aquel punto y hora el fraile huma-

nista revolvió el convento con mil travesuras diabólicas,
nada decorosas ni limpias, hasta que por fin logró escaparse
y abandonar el claustro, yéndose mundo adelante a campar
por su respeto. Sucesivamente fue monje benedictino, médico, astrónomo, bibliotecario, secretario de embajada, novelista y, al cabo, cura párroco; estudió y practicó todas las
ciencias y todos los idiomas; disecó por primera vez en
Francia un cadáver; satirizó a los religiosos, a la magistratu-
ra, a la Universidad, a los protestantes, a los reyes, a los
pontífices, a Roma; y todo sin sufrir graves persecuciones,
y muriendo en paz, gracias a lo mucho que lo protegía el
Papa Clemente VII, al paso que Calvino le hubiera tostado
de bonísima gana, y el poeta Ronsard escribía su epitafio
encargando al pasajero que derramase sobre la fosa del fraile
exclaustrado sesos, jamones y vino, que le serían más gratos
que las frescas azucenas.

Ahora bien: este hombre singular, habiendo publicado
obras científicas y visto que nadie las compraba, concibió
la idea de inculcar al pueblo los mismos conocimientos; pero
en tal forma, que le divirtiesen y los tragase sin sentir, para
lo cual compuso una sátira desmesurada, extravagante y
bufa, un colosal sainetón, del que «despachó más ejemplares
en dos meses que Biblias se vendían en nueve años». Y la
ponderación no es corta, porque en aquellos tiempos de
protestantismo militante se leía harto la Biblia. El autor compara la burlesca epopeya de *Gargantúa* y *Pantagruel* a un
hueso que hay que roer para descubrir la sustanciosa mé-
dula; el hueso es verdad que tiene tuétano suculento, pero
también grasa, sangre y piltrafas, que es preciso apartar.
Es de los libros más raros y heterogéneos que se conocen:
aquí una máxima profunda, allí una grosería indecente; des-

pués de un admirable sistema de educación, una aventura estrambótica. Para hacerse cargo de la índole de la fábula, baste decir que cada vez que mama el héroe, el gigante Pantagruel, se chupa la leche de cuatro mil seiscientas vacas.

Poner en parangón a Rabelais con Cervantes, es lo mismo que comparar a Luciano de Samosata con Homero. Indudablemente Rabelais era un sabio, y Cervantes no: he de decirlo aunque me excomulgue algún cervantista. Pero a Rabelais, como a su siglo, la erudición no lo salvó enteramente de la barbarie. Rabelais legó a su patria una obra deforme, y Cervantes una creación acabada y sublime en su género. Nosotros podemos encomiar el habla de Cervantes, y los franceses no propondrán nunca por modelo el lenguaje de Rabelais, a pesar de su riqueza, variedad y carácter pintoresco.

Ni formó Rabelais, como el autor del *Quijote,* escuela de novelistas, ni *Gargantúa* y *Pantagruel* son, en rigor, novelas. Más imitadores tuvo en lo sucesivo una mujer, la reina Margarita de Navarra. En aquel siglo donde nadie era mojigato sino los protestantes, la erudita princesa, viajando en litera y mojando la pluma en el tintero que su camarista sostenía en el regazo, borroneó el *Heptameron,* serie de cuentos alegres al estilo de los de micer Boccaccio. En este género del cuento breve o *nouvelle* fue fecundísima Francia; ya desde el siglo xv se conocía una gran colección, las *Cien novelas nuevas.* Solían tales historietas narrarse primero de viva voz, imprimiéndose después si agradaban; superiores al cuento popular, eran inferiores a la novela propiamente dicha. Nosotros carecemos de *nouvelles:* la *novela ejemplar,* aunque corta, tiene más alcance que la *nouvelle* francesa.

Los extremos se tocan: Francia, que descolló en semejantes cuentos ligeros, produjo también los novelones monumentales en varios tomos, que abundaron en el siglo XVII. Era moda, a la sazón, imitar a España; nuestra preponderancia política había impuesto a Europa los trajes, costumbres y literatura castellana. Dícese que Antonio Pérez, famoso valido de Felipe II, fue quien trasplantó a la corte de Francia, donde vivía refugiado, nuestro culteranismo; al par el caballero Marini, aquella peste de las letras italianas, gran corruptor del gusto en su tierra, cruzó los Alpes para inficionar a París. Formóse la sociedad del palacio de Rambouillet, donde se conversaba apretando el ingenio, quintaesenciando el estilo, discreteando a porfía, y llovían madrigales, acrósticos y todo género de rimas galantes. A ejemplo del palacio memorable en los anales de la literatura francesa, se crearon otros círculos presididos por las *preciosas* (que entonces aún no eran *ridículas)*, en los cuales también se alambicaba el lenguaje y los afectos: fruto y espejo de estas asambleas sui géneris fueron las novelas interminables de La Calprénede [1], De Gomberville [2] y de la señorita De Scudéry [3]. Los héroes de ellas, aunque llevaban nombres griegos, turcos y romanos, hablaban y sentían como franceses contemporáneos de las *preciosas;* Bruto escribía billeticos perfumados a Lucrecia, y Horacio Cocles, prendado de Clelia, contaba al eco sus amorosas cuitas. En *Clelia* levantó la señorita De Scudéry el famoso mapa del país de *Terneza,* al

[1] Gautier de La Calprénede (1614-1663), novelista francés, autor de novelas muy largas y aburridas, como *Casandra, Cleopatra.*

[2] Marin Le Roy de Gomberville (1600-1674), escritor francés.

[3] M a g d a l e n a de Scudéry (1607-1701), destacada escritora francesa que escribió *Gran Cirus* y *Clélie.*

través del cual serpea el río de la *Afición,* se extiende el lago de la *Indiferencia* y descuellan los distritos del *Abandono* y la *Perfidia.* Considerando que tales novelas solían constar de ocho o diez volúmenes de a ochocientas páginas, resulta que era preferible engolfarse en los libros de caballerías, aun a riesgo de secarse la mollera como el Ingenioso Hidalgo.

Es verdad que no todas las ficciones novelescas del siglo XVII parecen hoy tan soporíferas: las de madama de La Fayette [4] se sufren mejor: la *Astrea* de D'Urfé [5] es linda pastoral; la *Novela cómica,* de Scarron [6], imitada del español, ofrece colorido y animados lances. Nosotros abandonábamos el riquísimo venero abierto por Cervantes, y entre tanto los franceses muy a su sabor lo explotaban, sacando de él oro puro. Lesage [7], quizá el primer novelista de Francia en el siglo XVIII, se labró un manto regio zurciendo retazos de la capa de Espinel, Guevara y Mateo Alemán. Bien quisimos disputar a Francia el *Gil Blas,* en cuyo rostro y talle leíamos su origen castellano; pero ¿quién nos tiene la culpa de ser tan descuidados y pródigos? Inútilmente alegamos que *Gil Blas* debió nacer del lado acá del Pirineo: los franceses nos responden que lo que hay de español en *Gil Blas* es lo exterior, la vestidura: el carácter del protagonista, versátil y mediocre, es esencialmente galo. Y en eso ¡vive Dios que

[4] Mme. de La Fayette (1634-1692), escritora francesa. Su mejor novela es *La princesse de Clèves.*

[5] Honoré D'Urfé (1568-1626), novelista francés, autor de la n o v e l a pastoril y cortesana *L'Astrée.*

[6] Paul Scarron (1610-1660), escritor francés, modelo de Molière.

[7] Alain - René Lesage (1668-1747), novelista francés, autor de *Gil Blas.*

llevan razón! Nuestros héroes son más héroes, nuestros pícaros más pícaros que *Gil Blas*.

El abate Prevost [8], novelador incansable que compuso sobre doscientos volúmenes, olvidados hoy, casualmente acertó a escribir uno por el cual figura al lado de Lesage. *Manon Lescaut* no es más ni menos que la historia sucinta de dos perdidos, uno varón y otro hembra. El héroe, el caballero Desgrieux, un solemne fullero; la heroína, Manon, una cortesana de baja estofa. Y está lo original y pasmoso del libro en que, con tales antecedentes, Manon y Desgrieux cautivan, interesan, hasta arrancar lágrimas. No es que se verifique en los dos personajes alguna de aquellas maravillosas conversiones, o *redenciones por el amor,* que fingen los escritores contemporáneos, desde Dumas en *La Dama de las Camelias* hasta Farina [9] en *Capelli Biondi:* nada de eso. La cortesana muere impenitente. ¿A qué debe, pues, su atractivo singular la historia de Manon? Su autor nos lo revela. «Manon Lescaut—dice—no es sino pintura y sentimiento, pero pintura verdadera y sentimiento natural. En cuanto al estilo, habla en él la naturaleza misma.» La impresión que causa el breve libro de Prevost es la que produce un suceso cierto, el análisis de una pasión hecho por el paciente. Un hombre penetra en la iglesia; arrodíllase al pie de un confesonario, y refiere su vida sin omitir circunstancia, sin encubrir sus vilezas ni sus culpas, sin velar sus sentimientos ni atenuar sus malas acciones: ese hombre es gran pecador, pero ha amado mucho, ha sido arrastrado a pecar por afectos vehementísimos, y el confesor que le escucha siente deslizar-

---

[8] Marcel Prevost (1862-1941), novelista y autor dramático francés.

[9] Salvatore Farina (1846-1918), escritor italiano autor de *Capelli Biondi.*

se por sus mejillas una lágrima. Esto acontece al que oye en confesión al caballero Desgrieux.

¡Cuán lejos está Rousseau de poseer la naturalidad del abate Prevost! Rousseau es idealista y moralista: predicar, enseñar, reformar el Universo, tal es su propósito. Sus novelas rebosan doctrinas, reflexiones y declamaciones: virtud, sensibilidad, amistad y ternura andan en ellas como por su casa. El «Emilio», en especial, puede considerarse tipo de la novela docente: el arte, el interés de la ficción, la pintura de las pasiones, todo es allí secundario: el caso es demostrar cuanto se propuso el autor que el libro demostrase. Penetrado de las excelencias y ventajas del estado salvaje y primitivo, Rousseau defendió su tesis hasta el extremo, decía con gracia Voltaire, de infundir ganas de andar a cuatro pies, y solicitó que la igualdad se aplicase tan sin límites, que se casase el hijo del rey con la hija del verdugo. ¡Pícara idea y cuántos estragos hizo en la novela andando el tiempo! Lo noto de paso, y continúo.

Por supuesto que la moral de Rousseau era peregrina: su héroe Saint-Preux, adorando la virtud, seducía a la doncella que sus padres le fiaban para educarla. No obstante, todo lo que se diga de la popularidad y éxito de las novelas de Rousseau es poco. Rousseau ejerció sobre su época el decisivo influjo que alcanzan los escritores si aciertan a erigirse en moralistas. Las mujeres lo idolatraron; las madres lactaron a sus hijos para obedecerle; pulularon las *Julias* y los *Emilios;* ciertas comarcas del Norte quisieron tomarle por legislador; la Convención puso en práctica sus teorías, y el torrente de la revolución corrió por el cauce de sus ideas. No ventilemos aquí si todo esto fue *vera gloria:* lo evidente es que no fue gloria literaria. Como novelista, vale más el abate Prevost.

El mérito literario que no puede negarse a Rousseau, es el de introducir melodías nuevas en el idioma francés, desecado por la pluma corrosiva y aguda de Voltaire. Rousseau supo ver el paisaje y la Naturaleza y describirla en páginas elocuentes y hermosas: *Pablo y Virginia* son la segunda parte de la *Eloísa;* Bernardino de Saint-Pierre [10] aplicó a un tiempo los procedimientos artísticos y las teorías antisociales de su modelo Rousseau, cuando buscó para teatro de su poema un país virgen, un mundo medio salvaje y desierto, y para héroes dos seres jóvenes y candorosos, no inficionados por la civilización y que mueren a su contacto, como la tropical sensitiva languidece al tocarla la mano del hombre.

Mejor que Rousseau narraba Voltaire. Sus *cuentos* en prosa son la misma sobriedad, la misma claridad, la misma perfección; no es posible indicar en ellos ni leves errores gramaticales; allí resalta el respeto más profundo, la más completa intuición de eso que se llama genio de un idioma. Pero también se advierte aquella pobreza de fantasía, aquella carencia de sentimiento, aquella luz sin calor y aquel corazoncillo seco y encogido, arrugado como nuez añeja, eterna inferioridad del autor de *Cándido.* Voltaire cuenta; no es posible que novele. El novelista necesita más simpatía y alma menos estrecha.

Diderot reúne mejores condiciones de novelista. Voltaire sabe literatura, pero Diderot es artista, artista que pinta con la pluma: en él comienza la serie de los escritores coloristas de Francia; él emplea antes que nadie frases que copian y

[10] Bernardin de Saint-Pierre (1737-1814), autor de la novela romántica *Paul et Virginie.*

reproducen la sensación, por donde consumados estilistas contemporáneos le reconocen y nombran maestro. Sus teorías estéticas, nuevas y atrevidas entonces, contenían ya el realismo; en sus novelas late la realidad: lástima grande que, obedeciendo al gusto de la época, las haya sembrado de pasajes licenciosos, enteramente innecesarios. No pueden compararse sus aptitudes con las de ningún escritor de su tiempo; lea el que lo dude *El sobrino de Rameau,* tesoro de originalidad; lea la misma *Religiosa,* descartando las manchas de inverecundia que la afean y el alegato contra los votos perpetuos que el acérrimo *libertino* no supo omitir, y verá un libro interesantísimo, con delicado interés, sin aventuras ni incidentes extraordinarios, sin galanes ni amoríos de reja, con sólo el combate interior de un espíritu y el vigoroso estudio de un carácter. Diderot escribió *La Religiosa* fingiendo ser las memorias de una doncella obligada por su familia a entrar monja sin vocación, y que tras de mil luchas se escapa del claustro, y dirigió el manuscrito al marqués de Croismare, gran filántropo, como si la desdichada le pidiese auxilio. El marqués, engañado por la admirable naturalidad del relato, se apresuró a mandar dinero y a ofrecer protección a la imaginaria heroína de Diderot.

Con estos novelistas de la Enciclopedia hemos llegado a un punto crítico. La Revolución comienza, y mientras dure su formidable sacudida nadie escribe novelas, pero todo el mundo se halla expuesto a *vivirlas* muy dramáticas.

VIII

LOS VENCIDOS

Cuando pasó el Terror, las letras, que habían subido al cadalso con Andrés Chénier [1], comenzaron a volver en sí, pálidas aún del susto.

Pigault-Lebrun [2] fue el Boccaccio de aquella época azarosa, un Boccaccio tan inferior al italiano, como la estopa a la batista. Fiévée [3], narrador agradable, entretuvo al público con historietas, y Ducray-Duminil [4] contó a la juventud patéticos sucesos, novelas donde la virtud perseguida triunfaba siempre en última instancia. De la pluma de madama de Genlis [5] brotó un chorro continuo, igual y monótono de narraciones con tendencia pedagógico moral; pero la iluminada y profetisa madama de Krüdener [6] picó más alto, escribiendo *Valeria*.

No obstante, la figura principal que domina estas secundarias entre las cuales tantas son femeninas, es otra mujer de prodigiosa cultura y excelso entendimento, filósofa, historiadora, talento varonil si los hubo: la baronesa de Staël [7].

[1] André Chénier (1762-1794), célebre poeta francés víctima de la Revolución francesa.

[2] Pigault-Lebrun (1753-1835), autor de novelas procaces.

[3] Joseph Fiévée (1767-1839), literato francés, autor de *Dot de Suzette*.

[4] François-Guillaume Ducray-Duminil, novelista francés, autor de *Victor*.

[5] Stéphanie-Felicité de Genlis (1746-1830), autora de libros para niños.

[6] Juliana de Krüdener (1764-1824), mística rusa y autora de *Valerie*.

[7] Madame de Staël, famosa novelista francesa que escribió *Delphine, Corinne, De l'Allemagne* y *Dix années d'exil*.

Antes de componer novelas, la hija de Necker se había ensayado con obras serias y profundas, y su *Corina* y su *Delfina* fueron para ella como descanso de graves tareas, o, mejor dicho, como expansiones líricas, válvulas que abrió para desahogar su corazón, cuya viveza de sentimientos no desmentía su sexo. Ella misma fue heroína de sus novelas, y fundó así, rompiendo con la tradición de impersonalidad de los narradores y cuentistas, la novela idealista introspectiva. *Delfina* y *Corina* lograron tal aplauso y ganaron tantos lectores, que hasta se cree que Napoleón no se desdeñó de criticar, en su cesáreo estilo, y por medio de un artículo anónimo inserto en el *Monitor,* las producciones novelescas de su acérrima adversaria.

Al par que trazaba a la novela los rumbos que tantas veces recorrió después, madama de Staël descubría una mina explotada luego por el romanticismo, dando a conocer en su magnífico libro *La Alemania* las riquezas de la literatura germánica, romántica ya, y que de tal modo vino a influir en la de los países latinos.

Es de notar que los enciclopedistas, y Voltaire más que ninguno, mientras preparaban la revolución política atacando desaforadamente el antiguo régimen y minándolo por todos lados, se habían mostrado en literatura conservadores y pacatos hasta dejarlo de sobra, respetando supersticiosamente las reglas clásicas; y como si el clasicismo en sus postrimerías quisiese revestirse de nueva juventud y forma encantadora, encarnó en Andrés Chénier, el poeta más griego y más clásico que tuvo nunca Francia, al par que el primer lírico del siglo XVIII. De modo que aun cuando Diderot reclamó la verdad en la escena y en la novela, y Rousseau hizo florecer en su prosa el lirismo romántico, las letras

permanecieron estacionarias y clásicas durante la Revolución
y primeros años del imperio, hasta que vinieron madama de
Staël y Chateaubriand.

Siendo jovencita, madama de Staël leía asiduamente a
Rousseau; el joven emigrado bretón que comparte con ella
la soberanía de aquel período, era también discípulo del
ginebrino, y discípulo más adicto, porque mientras madama
de Staël se mostró asaz indiferente a la Naturaleza, musa del
autor de las *Confesiones,* Chateaubriand se lanzaba a Amé-
rica por anhelo de conocer y cantar un paisaje virgen, y describir con más poesía que su maestro las magnificencias de
bosques, ríos y montañas. Por este mismo propósito, donde
el poeta tenía más parte que el novelista, resultó que las
novelas de Chateaubriand fueron poemas mejor que otra
cosa. Al menos *Corina* se estudiaba a sí propia y a la sociedad en que vivió; no que *René* se idealizaba, subiéndose al
pedestal de su enfermizo orgullo, perdiéndose en nebulosa
melancolía, y aislándose así del resto de los humanos. Sus
contemporáneos hicieron de Chateaubriand un semidiós; la
generación presente le desdeña con exceso olvidando sus
méritos de artista. *René* no es inferior a *Werther,* de Goethe,
como análisis de una noble enfermedad, la insaciable, vaga
e inmensa pasión de ánimo de nuestro siglo. El descrédito
cada vez mayor de Chateaubriand no puede achacarse sino
a la creciente exigencia de realidad artística.

En efecto, cuantos quisieron buscar la belleza fuera de
los caminos de la verdad, comparten la suerte del ilustre
autor de *Los Mártires;* la indiferencia general arrincona sus
obras, cuando no sus nombres. ¿De qué le sirvió a Lamartine su unción, su dulzura, su instinto de compositor melo-
dista, su fantasía de poeta, tantas y tantas cualidades emi-

nentes? ¿Lee hoy alguien sus novelas? ¿Se embelesa nadie con el platónico panteísta *Rafael?* ¿Llora nadie las penas y abandono de *Graziella?* ¿Hay quien pueda llevar en paciencia a *Genoveva?*

Si las novelas de Víctor Hugo no han perdido tanto como las de Chateaubriand y Lamartine, consiste quizá en que son más objetivas; en los problemas sociales que plantean y resuelven, aunque por modo apocalíptico; en el vivo interés romancesco que saben despertar, y en cierto realismo... ¡perdóneme el gran poeta!, de brocha gorda, que a despecho de la estética idealista del autor, asoma aquí y allí en todas ellas. Y digo de brocha gorda, porque nadie ignora que a Víctor Hugo le son más fáciles los toques de efecto que las pinceladas discretas y suaves, por donde su realismo viene a ser un *efectismo* poderoso, pero no tan hábil que no se le vea la hilaza. En suma, Víctor Hugo toma de la verdad aquello que puede herir la imaginación y avasallarla: verbigracia, el soplo por la nariz con que el presidiario Juan Valjuan apaga la luz en casa de monseñor Bienvenido. Lo que únicamente tiende a producir impresión de realidad, Víctor Hugo no sabe o no quiere observarlo. En justo castigo de esta culpa, sus novelas van estando, si no tan marchitas como las de Chateaubriand y Lamartine, al menos algo destartaladas. Para que produzcan ilusión, hay que verlas con luz artificial.

Por lo demás, ni Chateaubriand ni Víctor Hugo ni Lamartine hicieron de la novela artículo de consumo general, fabricado al gusto del consumidor. Esta empresa industrial estaba guardada para el irrestañable e impertérrito criollo Dumas, abogado de los folletines, a cuya intercesión se encomiendan aún tantos dañinos escribidores.

¡Peregrina figura literaria la del autor de *Monte Cristo!* Trabajo le mando a quien se proponga leer sus obras enteras. Si la inmortalidad de cada autor se midiese por la cantidad de tomos que diese a la estampa, Alejandro Dumas, padre, sería el primer escritor de nuestra época. Porque si bien está demostrado que, además de novelista, fue Dumas razón social de una fábrica de novelas conforme a los últimos adelantos, donde muchas, como el blanco y carmín de la doña Elvira del soneto, sólo tenían de suyas el haberle costado su dinero; si es cierto que se patentizó la imposibilidad física de que hubiese escrito cuanto publicaba, y si cuando pleiteó con los directores de *La Prensa* y de *El Constitucional,* éstos le probaron que, sin perjuicio de otros encargos, se había comprometido a darles a ellos cada año mayor número de cuartillas de original que puede despachar el escribiente más ligero; si amén de contraer y cubrir todos estos compromisos está averiguado que viajaba, que hacía vida social, frecuentada los bastidores de los teatros y las redacciones de la prensa, se metía en política y galanteaba, todavía es admirable que haya dado abasto a escribir la prodigiosa cantidad de libros que sin disputa le pertenecen, y a leer y retocar los ajenos cuando salían escudados con su nombre.

Por muchos cirineos que le ayudasen a llevar el peso de la producción, Dumas aparece fecundísimo. Un teatro se fundó sólo para representar sus obras; un periódico, para despachar en folletín sus novelas, pues ya no alcanzaban los editores a imprimirlas aparte. En tan inmenso océano de narraciones novelescas como nos dejó, sobreabunda el género pseudohistórico, especie de resurrección de los libros de caballerías adaptados al gusto moderno. Alejandro Dumas llamaba a la Historia clavo donde colgaba sus lienzos, y otras veces aseguraba que a la Historia era lícito hacerle violencia, siempre que los bastardos naciesen con vida. Penetrado de tales axiomas, trató a la verdad histórica sin cumplimientos, como todos sabemos. Es cierto que también Chateaubriand había sustituido a la erudición sólida y a la crítica severa su fantasía incomparable; pero ¡de cuán distinto modo! Chateaubriand bordó de oro y perlas la túnica de la Historia; Dumas la vistió de máscara.

En medio de todo, hay dotes sorprendentes en Alejandro Dumas. No es grano de anís inventar tanto, producir con tan incansable aliento y mecer y arrullar gratamente—siquiera sea con patrañas inverosímiles—a una generación entera. El don de imaginar, acaso nadie lo ha tenido en tanta cantidad como Alejandro Dumas, si bien otros lo poseyeron de calidad mejor y más exquisita: que en esto de imaginación, como en todo, hay género de primera y de segunda. Y realmente, Alejandro Dumas es el tipo de la literatura secundaria, no del todo ínfima, pero tampoco comparable a la que forjan grandes escritores con los cuales no puede medirse el autor de *Los tres mosqueteros*.

Literariamente, Dumas es mediocre. De ahí proviene su éxito y popularidad. Dumas subió a la altura exacta de la mayor parte de las inteligencias. Si su forma fuese más selecta y elegante, o su personalidad más caracterizada, o sus ideas más originales, ya no estaría al alcance de todo el mundo. Su novela es, pues, *la novela* por antonomasia; la novela que lee cada quisque cuando se aburre y no sabe cómo matar el tiempo; la novela de las suscripciones; la novela que se presta como un paraguas; la novela que un taller entero de modistas lee por turno; la novela que tiene los cantos grasientos y las hojas sobadas; la novela mal impresa, coleccionada de folletines, con láminas melodramáticas y cursis; y la novela, en suma, más antiliteraria en el fondo, donde el arte importa un bledo y lo que interesa es únicamente saber en qué parará y cómo se las compondrá el autor para salvar a tal personaje o matar a cuál otro.

Hoy, al ver la enorme biblioteca *dumasiana,* no sabe uno qué admirar más, si su tamaño o su poca consistencia. El abate Prevost, de sus doscientos volúmenes, logró salvar uno que le inmortaliza: diez o doce años después del fallecimiento de Dumas, dudamos si alguna de sus obras pasará a las futuras edades.

Bien arrumbado se va quedando asimismo el rival de Dumas, el poco menos fecundo e inventivo Eugenio Sue. En éste había la cuerda socialista, populachera y humanitaria, que tocada diestramente, gana triunfos tan brillantes como efímeros. Sin embargo, Sue tuvo más de artista que Dumas; dio mayor relieve a sus creaciones. Su fantasía, rica e intensa, evocaba con fuerza superior. Pero si en alguien alcanzó esta facultad aquel grado de pujanza que todo lo poetiza y transforma, y sin reemplazar a la verdad, compensa su falta, fue en Jorge Sand.

Jorge Sand es el escultor inspirado de la novela idealista; Alejandro Dumas, y Sue mismo, a su lado, no pasan de alfareros. Gran productor como sus rivales, recibió del cielo, por añadidura, dones literarios, merced a los cuales fue el único competidor digno de Balzac, como madama de Staël lo había sido de Chateaubriand. Su ingenio era de aquellos que hacen escuela y marcan huella resplandeciente y profunda. En el día podemos juzgar con serenidad al ilustre andrógino [8], porque aun cuando somos casi coetáneos suyos, no hemos alcanzado el período militante de sus obras. Nuestros padres conocieron a Jorge Sand en la época de sus aventuras y vida bohemia, y se escandalizaron con la propaganda anticonyugal y antisocial de sus primeros libros. Hoy, en el vasto conjunto de los escritos de Jorge Sand, esos libros, forma primaria de su talento dúctil y variable, son un pormenor, digno sí de tomarse en cuenta, pero que no empece al mérito de los restantes: tanto más, cuanto que el gusto ha cambiado, y actualmente se cree que la obra mejor de la autora de *Mauprat* son sus novelas campestres, geórgicas modernas, dignas de compararse con las del poeta mantuano. ¿Qué importan las teorías filosóficas tan extravagantes como inconsistentes de Jorge Sand? Latouche dijo de ella descortésmente que era un eco que reforzaba la voz; y a fe que no se engañó en lo que respecta a pensamiento, porque Jorge Sand dogmatizaba siempre por cuenta ajena. Pero el escritor insigne no le debe nada a nadie. Hoy sus filosofías son tan peligrosas para la sociedad y la familia como una linterna mágica o un calidoscopio. *Valentina, Lelia, Indiana,* no nos persuaden a cosa alguna; su propósito docente o disolvente resulta inofensivo. Lo que permanece inalterable es el nítido y majestuoso estilo, la fantasía lozana del autor.

En toda la literatura idealista que revisamos impera la imaginación, de más o menos quilates, más o menos selecta; pero siempre como facultad soberana. Podemos decir que ella es la *característica* del período literario que empieza con el siglo y dura hasta su mitad. También indudable aparece

[8] Que comprende los dos sexos.

la decadencia del género. No hablemos de Alejandro Dumas y Eugenio Sue: consideremos sólo a Jorge Sand, que vale más que ellos. Lo que sucede con Jorge Sand es prueba palmaria de que la literatura de imaginación es ya cadáver. La célebre novelista, de edad muy avanzada, falleció hace pocos años, como si dijéramos ayer, en 1876, en su tranquilo retiro de Nohant, y hasta los últimos días de su existencia escribió y publicó novelas, donde no se advertía inferioridad o descenso en la composición ni en el estilo, antes descollaba como siempre la maestría propia del gran prosista. Pues esas novelas, insertas en la *Revista de Ambos Mundos,* pasaban inadvertidas; nadie reparaba en ellas; para la generación actual, Jorge Sand había muerto mucho antes de bajar al sepulcro. ¿Y por qué? Tan sólo porque estaba fuera del movimiento literario actual; porque cultivaba la literatura de imaginación, que tuvo su época y hoy no cabe. No es que la gente dejase de pronunciar con admiración el nombre de Jorge Sand; es que consideraba sus escritos como se consideran los de un clásico, de un autor que fue hijo de otras edades y no vive en la presente.

IX

LOS VENCEDORES

Conocidos ya los padres de la Iglesia idealista, ahora nos toca trabar amistad con los jefes de la escuela contraria.

Diderot es su patriarca; él comunicó antes que nadie a la empobrecida lengua del siglo XVIII colorido y vibración; él abogó, como sabemos, por la verdad en el arte. Descendiente en línea recta de Diderot, fue Enrique María Beyle, *Stendhal*.

Antes de escribir novelas, Stendhal manejó la crítica y narró sus impresiones de viaje: pero en ningún género de los diversos que cultivó aspiraba a la gloria de las letras. No hay cosa menos parecida a un escritor de oficio que Stendhal: hombre de activa existencia, de varia fortuna, pintor, militar, empleado, comerciante, auditor del Consejo de Estado, diplomático, quizá debió a su misma diversidad de profesiones la acuidad de observación y el conocimiento de la vida que distingue a los *viajeros* literarios, como Cervantes y Lesage, investigadores curiosos que prefieren a los polvorientos libros de las bibliotecas la gran biblia de la sociedad. Stendhal emborronó papel sin premeditación; no usó de seudónimos por coquetería, sino por mejor ocultarse; no se creyó llamado a regenerar cosa alguna, ni a transformar el siglo con sus escritos; trabajó como aficionado, y cierto día se quedó estupefacto viendo un artículo encomiástico que Balzac le dedicaba. «He repasado el artículo—son sus propias palabras—, pereciéndome de risa. A cada elogio subido de punto, pensé en el gesto que pondrían mis amigos si tal leyesen.» Sencillo en la forma, aunque muy refinado y sutil en el fondo, empleaba el sobrio lenguaje de los enciclopedistas, con mayor descuido e incorrección de la que ellos se permitieron; y aunque tocado de romanticismo en sus primeros años, jamás admitió las galas y adornos de la prosa romántica; antes para manifestar su desdén por el estilo florido, afirmaba que al sentarse al escritorio tenía muy buen cuidado de echarse al coleto una página del Código.

Por culpa de esta originalidad misma, Stendhal consiguió en vida pocos lectores y menos partidarios: el fulgor de las

estrellas románticas llenaba entonces el firmamento. Hasta
dos lustros después de la muerte de Stendhal, ocurrida en
1842, no empezaron a llamar la atención sus obras, que no
llegan a docena y media, fundándose en sólo dos novelas su
fama de escritor realista. *La Cartuja de Parma* describe una
corte pequeña, un ducado italiano, donde se tejen maquiavé-
licas intrigas y el amor y la ambición hacen diabluras: tempestad en el lago de Como. *Rojo y negro* estudia aquella primera época de la Restauración francesa, en que sucedió al
poder militar de Napoleón—ídolo de Stendhal—la influencia religioso-aristocrática. Acerca del mérito de estos dos
libros se han pronunciado juicios muy diversos. Sainte-Beuve,
declarando que no son novelas vulgares y que sugieren ideas
y abren caminos, las califica sin embargo de *detestables,*
falló harto radical para un crítico tan ecléctico. Taine las
admira hasta el punto de llamar a Stendhal gran ideólogo y
primer psicólogo de su siglo. Balzac se declara incapaz de
escribir cosa tan bella como *La Cartuja de Parma.* A Caro [1]
le irritan de tal suerte ésta y las demás obras de Stendhal,
que llega a injuriar al autor; y Zola, reconociendo en él al
sucesor de Diderot y poniéndolo en las nubes, niega la completa realidad de sus personajes, que no son, en concepto de
Zola, hombres de carne y hueso, sino complicados mecanismos cerebrales, que funcionan aparte, independientes de los
demás órganos.

Hay algo de verdad en tan opuestos pareceres. Si se
atiende al procedimiento artístico, Sainte-Beuve está en lo
cierto. Las novelas de Stendhal no carecen de ninguna im-
perfección. Escritas con poca gramática,—como demostró

[1] El me-Marie Caro (1826-   1887), filósofo espiritualista
francés.

Clemencín que está el *Quijote*—, su estilo es no sólo des-
carnado, sino escabroso. Fáltales unidad, coherencia, interés
sostenido gradualmente; en suma, las cualidades que suelen
elogiarse en una obra literaria. De *La Cartuja de Parma*
podrían suprimirse las dos terceras partes de los personajes
y la mitad de los acontecimientos sin grave inconveniente:
en *Rojo y negro* sería muy oportuno que la novela conclu-
yese en el primer tomo: también podría acabar a la mitad
del segundo. Respecto a elegancia, proporción y destreza en
componer, está muy por cima de Stendhal su discípulo
Merimée.

Zola tampoco yerra cuando asegura que los héroes de
Stendhal raciocinan demasiado. Sí; a veces sobra allí racio-
cinio. El protagonista de *Rojo y negro,* Julián Sorel, al re-
grasar de un desafío, donde le han metido una bala en un
brazo, viene raciocinando muy reposadamente acerca del
trato de las gentes de alto coturno, de si su conversación
es amena o enfadosa, y otras menudencias por el estilo: y
no lo hace en voz alta ni con ánimo de mostrarse sereno,
que entonces sería natural, sino para su capote. Otro cualquiera pensaría en la herida, por poco que le doliese. Sin
embargo, Zola, al reconocer estos lunares, conviene con
Taine, declarando que Stendhal es profundo psicólogo. Lo
que le falta por confesar al jefe del naturalismo francés, es
que el valor de los aciertos de Stendhal consiste precisamente en el terreno sobre que recaen. Stendhal analiza y diseca
el alma humana, y aunque a Zola no le cuadre, el que acierta
en ese género de estudio se coloca muy alto. Es como el
disector que trabaja en las partes más delicadas e íntimas del
organismo, necesarias para la vida; o como el cirujano que

opera sobre tejidos recónditos, llenos de venas, arterias y nervios.

Copista de la naturaleza exterior, a cuyo influjo atribuye las determinaciones del albedrío, Zola pospone sistemáticamente ese orden de verdades que no están a flor de realidad, sino incrustadas, digámoslo así, en las entrañas de lo real, y por lo mismo sólo pueden ser descubiertas por ojos perspicaces y escalpelos finísimos. No es que Zola no sea psicólogo; pero lo es a lo Condillac [2], negando la espontaneidad psíquica: por eso el método *interiorista* de Stendhal no acaba de satisfacerle. Y es el caso que Stendhal no tiene otros títulos a la gloria que ya va dorando su sepulcro, sino esa lucidez de psicólogo realista que nos presenta un alma desnuda, cautivándonos con el espectáculo de la rica y variada vida espiritual, espectáculo tanto o más interesante, diga Zola lo que quiera, que el de los mercados en el *Vientre de París*... y cuenta que este vasto *bodegón* de Zola es admirable. En resumen, Stendhal borra sus muchos e innegables defectos con el subido valor filosófico de sus bellezas, viniendo a ser sus obras como joya de ricos diamantes engarzados y montados sin esmero alguno.

Extraños azares los de la gloria literaria. Stendhal, con el corto patrimonio de dos novelas, logra hoy ver unido su nombre, en concepto de iniciador del arte realista y naturalista, al de Balzac, que fue un titán, un cíclope, forjador incansable de libros. Y cuenta que si Stendhal era indiferente a la celebridad, Balzac aspiraba a ella con todas las fuerzas de su alma. La obtuvo particularmente fuera de su país, en Italia, en Suecia, en Rusia; mas no tanta que no compitiesen

[2] Etienne de Condillac (1715-1780), filósofo francés, jefe de la escuela sensualista.

ventajosamente con él adversarios como Dumas y Sue, dispu-
tándole la honra y el provecho. Mientras Dumas podía
derrochar en locuras caudales ganados con su péñola de
novelista, Balzac luchaba cuerpo a cuerpo con la miseria, sin
obtener jamás un mediano estado de fortuna. Para mayor
dolor, la crítica le atacaba encarnizadamente.

No encierra la vida de Balzac aventuras novelescas; su
historia se reduce a trabajar y más trabajar para satisfacer
a sus acreedores y crearse una renta desahogada; escribió
sin descanso, sin término, pasando las noches de claro en
claro, produciendo a veces una novela en diez horas, y todo
en balde, sin lograr verse libre de sus urgentes y angustiosas
obligaciones ni disponer de un ochavo. Dicen con razón
cuantos hoy escriben acerca de Balzac, que en ese modo
de vivir suyo se contiene la explicación y clave de sus obras.

Propúsose Balzac realizar completo y enciclopédico estudio de las costumbres y sociedad moderna mirada por todos
sus aspectos; y declarándose *doctor en ciencias sociales,* quiso
crear la *Comedia humana,* resumen típico de nuestra edad,
como el poema de Dante lo fue de la Edad Media. Cada
novela, un canto. En tan vasta epopeya, todas las clases
tuvieron representación y todas las modificaciones políticas
su pintura adecuada. Balzac retrató de cuerpo entero al imperio, a la Restauración, a la monarquía de Julio; copió
del natural, con fidelidad admirable, las fisonomías de la nobleza legitimista, chapada a la antigua, desde los heroicos
chuanes del Este hasta los jactanciosos hidalgüelos del Mediodía; las de la mesocracia orleanista; las de los soldados
del imperio, del clero, de los paisanos; de los diferentes tipos
de la *bohemia* literaria, de los periodistas, y, para decirlo
de una vez, lo copió todo, conforme a su gigantesco plan,

con atlético vigor y esfuerzo hercúleo. Zola, que sabe hablar de Balzac elocuentemente, compara la *Comedia humana* a un monumento construido con materiales distintos: aquí mármol y alabastro, allí ladrillo, yeso y arena, todo entreverado y confundido por la mano presurosa de un albañil que a trechos era insigne artista. El edificio, combatido de la intemperie, a partes se desmorona, viniéndose al suelo los materiales viles, mientras las columnatas de granito y jaspe se sostienen erguidas y hermosas. No cabe comparación más exacta.

De todo hay en el colosal monumento erigido por Balzac; hasta las mismas columnatas de mármol que Zola admira, con ser de preciosa traza y calidad inestimable, están levantadas aprisa, por brazos febriles. ¿Cómo no? Atendido el modo de componer de Balzac, así tuvo que suceder. Cuando se encerraba en su habitación con una resma de papel delante, sabía que dentro de quince días, de una semana, o quizá menos, le reclamaría el editor la resma manuscrita, y el acreedor se presentaría a recoger el precio quitándoselo de las manos. Considérese el estado moral de Balzac al escribir, y compárese, por ejemplo, al de su sucesor Flaubert, que para componer una novela en un tomo, consultaba quinientos, hacía seis de extractos, y tardaba ocho años a veces. Balzac hilvanó en veinte días *César Birotteau,* una de sus mejores obras, un pórtico de mármol. Sus cuartillas, ininteligibles, losanjeadas de borrones, cruzadas, tachadas, caóticas, las traducían a duras penas en la imprenta. ¡Y Flaubert copiaba diez o doce veces una página para perfeccionarla! De juro Balzac no se tomó nunca la molestia de copiar; mandaba el original a las prensas, y en pruebas corregía, variaba párrafos enteros. No le era lícito pararse en menudencias.

¡Qué mucho que sus creaciones sean desiguales! Aunque descontemos aquellas *obras de la juventud* que más parecen de la senectud, y en las cuales se muestra tan inferior, en la misma *Comedia humana* se hallan libros de valor tan diverso como *Eugenia Grandet* y *Ferragus, La Prima Bette* y los *Esplendores y miserias de las cortesanas.* No sólo es patente la diferencia entre novela y novela, sino entre las partes de una misma. De tantas obras magistrales, apenas hay una perfecta, que pueda proponerse como modelo digno de imitación; y, sin embargo, en casi todas se contienen bellezas extraordinarias.

Así como no era posible que, dada su especial manera de crear, se consagrase Balzac a purificar y dirigir su copiosa vena y a procurar la perfección, tampoco lo era que procediese como los realistas contemporáneos, tomando todos y cada uno de los elementos de sus obras, de la observación de la realidad. No le hubiera alcanzado para eso solo entera la vida. Dijo acertadamente de él Philarete Chasles [3] que, más que observador, era vidente. Trabajaba al vuelo sirviéndose de la verdad adivinada y deducida, combinándola en sus escritos a la mayor dosis posible, pero no empleándola pura. Si la inspiración traía de la mano a la verdad, mejor que mejor; si no, no era cosa de suspender el comenzado trabajo, ni de renunciar al socorro de la fantasía para entretenerse en verificar datos. En Balzac, sobre la observación está la inspiración de lo real. Su espíritu concentraba en un foco rayos de luz dispersos, sin tomarse el trabajo de contarlos ni de averiguar su procedencia. La intuición desempeña en sus obras papel importantísimo. ¿Dónde había cursado Bal-

---

[3] Philarete Chasles (1798- 1873), literato y bibliógrafo francés.

zac ciencias sociales? ¿Dónde ganó el birrete de doctor?
¿Cuándo aprendió fisiología, medicina, química, jurispruden-
cia, historia, heráldica, teología, todas las cosas que supo
como cabalmente debe saberlas un artista, sin erudición ni
errores? Se ignora.

Si a veces la imaginación le arrastra y dibuja perfiles inverosímiles, en cambio cuando encuentra el cabo de la realidad, que es casi siempre, tira de él y no para hasta devanar
toda la madeja. La mayor parte de sus caracteres son prodi-
gios de verdad. Lo que queda impreso en la mente, después
de leer a Balzac, no es el asunto de esta novela, ni el dramático desenlace de la otra, sino —don harto más precioso— la figura, el andar, la voz y el modo de proceder de un
personaje que vemos y recordamos como si fuese persona
viva y la conociésemos y tratásemos.

Suelen censurar el estilo de Balzac sus jueces. Sainte-
Beuve lo califica de «enervado, veteado, rosado, asiático,
más descoyuntado y muelle que el cuerpo de un mimo antiguo». Si es cierto que le falta la sobriedad y la armonía,
que en Balzac no cupo nunca, en cambio el estilo del autor
de *Eugenia Grandet* posee lo que no se aprende ni se imita:
la vida. Sus frases alientan, su colorido brillante y fastuoso
las hace semejantes a rico esmalte oriental. Defectos, tiene
todos los que faltan a Beyle: lirismo, hinchazón, hojarasca;
pero ¡cuántos primores, cuántos lienzos de Tiziano y de
Van Dick, qué interiores, qué retratos de mujer, qué paños
y carnes tan jugosamente empastados! Walter Scott, al cual
Balzac admiraba y respetaba con extremo, ha sido más di-
fuso, sin ser tan feliz.

X

FLAUBERT

Flaubert se diferencia de Balzac como un hombre de un gigante. El autor de la *Comedia humana* hizo épica la realidad; el autor de *Madama Bovary* nos la presenta cómico-dramática. Hay escritores que ven el mundo como reflejado en un espejo convexo, y, por consiguiente, desfigurado. Balzac lo miró con ojos lenticulares, que sin alterar la forma, aumentaban sus proporciones; Flaubert, en cambio, lo vio sin ilusión óptica; y no digo que lo contempló con ojeada serena, porque me parece que la frase se aviene mal con el pesimismo que de modo indirecto, pero eficaz, predican sus obras.

De Flaubert sí que no hay que preguntar dónde y cuándo aprendió lo mucho que sabía. Hijo de un médico afamado, se familiarizó presto con las ciencias naturales, y aunque la desahogada situación de su familia le permitió no abrazar más carrera que la de las letras, fue estudiante perpetuo y adquirió una cultura algo heterogénea y caprichosa, pero vastísima. Su amigo Máximo du Camp [1], que en un libro reciente, los *Recuerdos literarios,* comunica al público tantas y tan interesantes noticias acerca de Flaubert, dice que éste era, por su prodigiosa memoria y lectura inmensa, un diccionario viviente que se podía hojear con gusto y provecho. Mostró siempre Flaubert predilección hacia cierto linaje de estudios que hoy apenas atraen más que a entendimientos

---

[1] Maxime du Camp (1822-1894), literato y viajero francés.

refinados y curiosos: la apologética cristiana, la historia de la
Iglesia, los Santos Padres, las humanidades. Tan graves ejercicios intelectuales, unidos a su ardentísimo culto de la forma y a su sagacidad de implacable observador, hicieron de
él un artista consumado, un clásico moderno.

Flaubert escribió menos libros y pocas más novelas que
Stendhal. Su primer obra—aparte de un ensayo titulado
Noviembre, que no llegó a hacer gemir las prensas—es *La
tentación de San Antonio,* especie de *auto sacramental* semejante al *Ashavero* de Edgard Quinet. El santo ve desfilar
ante sus deslumbrados ojos todas las seducciones de la carne
y del espíritu, todos los lazos que el demonio puede tender
a los sentidos, al corazón y a la mente; y pasan turbándole
con sus palabras o con su aspecto, desde la Reina de Saba
hasta la Esfinge y la Quimera, y desde la diosa Diana hasta
los herejes nicolaitas. Cuando Flaubert leyó a sus amigos
el manuscrito, prueba evidente de su peregrina erudición,
éstos, mirándolo desde el punto de vista literario, emitieron
el siguiente dictamen: «Has trazado un ángulo cuyas líneas
divergentes se pierden en el espacio; has convertido la gota
de agua en torrente, el torrente en río, el río en lago, el
lago en océano y el océano en diluvio; te anegas, anegas a tus
personajes, anegas el asunto, anegas al lector y se anega la
obra.» Y viendo que el fallo le consternaba, aconsejáronle
que emprendiese otro trabajo, un libro donde pintase la vida
real y donde la misma vulgaridad del asunto le impidiese
caer en el abuso del lirismo, defecto heredado de la escuela
romántica. Flaubert tomó el consejo y produjo *Madama
Bovary.* Andando el tiempo, solía decir a sus consejeros:
«Me habéis operado el cáncer lírico: mucho me dolió, pero
era hora de extirparlo.»

Gran salto hubo de dar Flaubert desde *La tentación* hasta *Madama Bovary*. En *La tentación* se revelaban sus variados y selectos conocimientos, su asidua lectura de teólogos, místicos y filósofos: en *Madama Bovary* cambia la decoración: no estamos en los desiertos de Oriente, sino en Yonville, poblachón atrasado y miserable: no presenciamos la gigantesca lucha del santo asceta con las potestades del infierno, sino las vicisitudes de la familia de un medicucho de aldea. Todo es vulgar en *Madama Bovary:* el asunto, el lugar de la escena, los personajes; sólo el talento del autor es extraordinario.

Emma Bovary nació en las últimas filas de la clase media; pero en el elegante colegio donde fue educada, se rozó con señoritas ricas e ilustres, y empezaron a depositarse en ella los gérmenes de la vanidad, concupiscencia y sed de goces, graves enfermedades de nuestro siglo. Poco a poco se van desarrollando estos gérmenes, y depravan el alma de la joven, esposa ya y madre de familia. Sentimentales amoríos, hábitos de lujo incompatibles con su modesta posición de mujer de un médico rural, trampas y desórdenes crecientes, complican de tal modo su situación, que cuando los acreedores la apremian se envenena con arsénico. Este es el sencillo y terrible drama—tomado de un hecho cierto—, que inmortalizó a Flaubert.

El argumento de *Madama Bovary*—que ha sido tan censurado y ha producido tal escándalo—fue sugerido a Flaubert, según declara Máximo du Camp, por la casualidad que le trajo a la memoria el recuerdo de una mujer desdichada que vivió y murió como su heroína. De la alta trascendencia social de obras como *Madama Bovary* y de su sentido moral hablaré más adelante, cuando toque la delicada cuestión de la moralidad en el arte literario; ahora me limito a hacer constar que Flaubert aceptó el primer dato que se le ofrecía, y que le sería indiferente aprovecharse de otro cualquiera. Historias como la de Madama Bovary no faltan; pero hasta Flaubert nadie las había referido así. El mismo Balzac, que comprendió bien el poder del dinero en nuestra sociedad, no llegó a manifestar con tanta energía como Flaubert la metalización que sufrimos. Un escritor menos analítico poetizaría a Madama Bovary, haciéndola morir abrumada bajo el peso de sus desengaños amorosos o de sus remordimientos devoradores, y no de sus vulgares deudas. Las páginas en que Madama Bovary, frenética y desalada, implora en vano de sus amantes la suma necesaria para aplacar a sus acreedores, son el estudio más cruel, pero más sincero y magnífico, que se habrá escrito sobre la dureza de los tiempos presentes y el poder del oro.

No es sólo admirable en la obra maestra de Flaubert el vigor y la verdad de los caracteres; hay que considerarla también modelo de perfección literaria. El estilo es como lago transparente en cuyo fondo se ve un lecho de áurea y fina arena, o como lápida de jaspe pulimentado donde no es posible hallar ni leves desigualdades. Jamás decae, jamás se hincha; ni le falta ni le sobra requisito alguno; no hay neologismos, ni arcaísmos, ni giros rebuscados, ni frases galanas y artificiosas; menos aún desaliño, o esa vaguedad en las expresiones que suele llamarse fluidez. Es un estilo cabal, conciso sin pobreza, correcto sin frialdad, intachable sin purismo, irónico y natural a un tiempo, y en suma, trabajado con tal valentía y limpieza, que será clásico en breve, si no lo es ya. Las descripciones en *Madama Bovary* realizan el ideal del género. No comete Flaubert, aunque describe mucho, el pecado de pintar por pintar; si estudia lo que hoy se llama el *medio ambiente,* no lo hace por satisfacer un capricho de artista, o por lucirse hablando de cosas que conoce bien, sino porque importa al asunto o a los caracteres: y posee tino tan especial, que sólo describe lo más saliente, lo más típico, y eso en pocas palabras, sin abusar del adjetivo, con dos o tres pinceladas maestras. Así es que en *Madama Bovary,* a pesar de la escrupulosa conciencia realista del autor, cada cosa está en su lugar, y siempre lo principal es principal, lo accesorio, accesorio. La habilidad de Flaubert se patentiza así en lo que dice como en lo que omite: por donde es superior a Balzac, que usa tanto adorno superfluo.

Flaubert desconoció enteramente el valor de *Madama Bovary;* es más, le irritó su éxito. Le sacaba de quicio el que el público y los críticos la prefiriesen a sus demás obras, y para verle furioso no había sino aconsejarle que escribiese otra cosa por el estilo. «¡Que me dejen en paz con *Madama Bovary!*», solía exclamar. Durante los últimos años de su vida, quiso retirar de la circulación el libro, no permitiendo nuevas ediciones, y si no lo verificó, fue porque necesitaba dinero. No sólo desdeñaba a *Madama Bovary,* considerándola inferior, por ejemplo, a *La tentación,* sino que declaraba menospreciar el género a que pertenece, o sea el estudio analítico de la realidad en caracteres y costumbres, estimando únicamente el primor del estilo, la belleza de la frase, y asegurando que sólo con ella se ganaba la inmortalidad; que Homero era tan moderno como Balzac, y que él daría a *Madama Bovary* entera por un párrafo de Chateaubriand o Víctor Hugo. Porque es de advertir que para Flaubert, entusiasta discípulo de la escuela romántica, ferviente admirador de Hugo, Dumas y Chateaubriand, la perfección del estilo no era aquella admirable sobriedad y nitidez que él alcanzaba, sino los oropeles líricos, la prosa poética y florida. Caso de ceguera literaria muy semejante a la que impulsó a Cervantes a preferir entre sus obras el *Persiles*.

Después de *Madama Bovary, Salambona* [2] es lo mejor de Flaubert. Con la misma escrupulosidad que estudió las miserias de un lugarcillo en tiempos de Luis Felipe, reconstruyó Flaubert el mundo remoto, la misteriosa civilización púnica. Nos transportó a Cartago, entre los contemporáneos de Amílcar, durante la sublevación de las tropas mercenarias que la república africana tenía a sueldo para auxiliarla contra Roma; y la heroína de la novela fue la virgen Salambona sacerdotisa de la Luna. Parece a primera vista que tales elementos compondrán un libro enfadoso, erudito quizá, pero no atractivo; algo semejante a las novelas arqueológicas que escribe el alemán Ebers [3]. Pues nada de eso. Aunque el autor de *Salambona* nos conduzca a Cartago y a las cordilleras líbicas, al templo de Tanit y al pie del monstruoso ídolo de Moloch, *Salambona* es en su género un estudio tan realista como *Madama Bovary*.

Prescindamos de la infatigable erudición que desplegó Flaubert para pintar la ciudad africana, de su viaje a las costas cartaginesas, de su esmero en revolver autores griegos y latinos; también lo hace Ebers, y mejor y más sólidamente; pero no por eso son menos soporíferas sus novelas. Lo que importa en obras como *Salambona,* no es que los pormenores científicos sean incuestionablemente exactos, sino que

[2] Traducción a la española de la novela *Salambó,* como *Madama Bovary* por *Madame Bovary*.

[3] Georges - Maurice E b e r s (1837-1898), egiptólogo y novelista francés.

la reconstrucción de la época, costumbres, personajes, sociedad y naturaleza no parezca artificiosa, y que el autor, per-
maneciendo sabio, se muestre artista; que en todo haya vida
y unidad, y que ese mundo exhumado de entre el polvo de
los siglos se nos figure real, aunque extraño y distinto del
nuestro; que nos produzca la misma impresión de verdad que
causa el escrito jeroglífico al descifrarlo un egiptólogo, o el
fósil al completarlo un eminente naturalista, y que si no
podemos decir con certeza absoluta «así era Cartago», pen-
semos al menos que Cartago *pudo* ser así.

Con *Salambona* se acabaron los triunfos de Flaubert. La
Educación sentimental, novela en la cual puso sus cinco sentidos y cifró grandes esperanzas, hizo un *fiasco* tan completo, que Flaubert, en sus acostumbrados arrebatos de có-
lera, solía preguntar a sus amigos apretando los puños:
«¿Pero me podrán ustedes decir por qué no gustó aquel
libraco?» La causa de que el *libraco* no gustase merece referirse. Según el ya citado Máximo du Camp, en la vida de
Flaubert se reconocen dos períodos: durante el primero, los
años juveniles, Flaubert era de despejado ingenio y fecunda
inventiva; aprendía sin esfuerzo y trabajaba fácilmente; de
pronto le hirió una horrible enfermedad, mal misterioso que
Paracelso llama «el terremoto humano», y no sólo su cuerpo atlético, sino también su inteligencia lozana, quedaron
como estremecidos en su misma raíz, doblegados y en cierto
modo paralizados. Dos extraños síntomas paralelos se nota-
ron en el enfermo: aborreció el andar, en términos que hasta
le hacía daño ver pasearse a los demás, y para el trabajo
literario se hizo tan premioso y difícil, que copiaba veinte
veces una página, la enmendaba, la cruzaba, la raspaba, y
de tal suerte se encarnizaba en la labor, que si un mes logra-

ba producir veinte páginas definitivas, decía hallarse rendido
y muerto de cansancio. Después de terminar una cuartilla
gimiendo, suspirando y bañado en sudor, levantábase de su
escritorio e iba a tumbarse en un sofá, donde se quedaba
exánime.

Esta lentitud y enorme esfuerzo que le costaba cada una
de sus obras, tardando eternidades en concluirlas (*La tentación* la limó, varió y retocó por espacio de veinte años),
provenía del afán de conseguir absoluta corrección de estilo
y completa exactitud en hechos y observaciones. Hubo un
momento en que alcanzó ambas cosas sin exagerarlas y sin
perjuicio de la creación artística, y fue cuando produjo *Salambona* y *Madama Bovary;* pero después rompióse el equilibrio, y empezó a abusar del procedimiento, hasta el extremo de pasarse horas enteras cazando una repetición de
vocales o una cacofonía, y meditando en si una coma estaba
o no en su sitio, y de leerse treinta volúmenes sobre agricultura para escribir diez líneas con conocimiento de causa.
De esta prolijidad resultó el fracaso de la *Educación sentimental,* y sobre todo el de *Bouvard y Pécuchet,* su obra póstuma, donde la novela se convierte en monótona sátira social, pesado catálogo de lugares comunes e ideas corrientes,
y donde una misma situación prolongada durante toda la
obra y el lenguaje seco y esqueletado a fuerza de querer
ser puro y sencillo, cansan al lector más animoso.

Ya se deba a enfermedad o a condición especial de su
ingenio, merece notarse la decadencia de Flaubert, porque
es caso poco frecuente el que un escritor decaiga y se esteri-
lice por excesivo anhelo de exactitud y perfección, siendo
así que la mayor parte, tan pronto cogen buena fama, se
echan a dormir. Flaubert, al contrario, llamaba *distraerse*

a escribir cuentos como el *Corazón sencillo,* que representa seis meses de asiduo trabajo: a fuerza de afilar la punta del lápiz, Flaubert la quebró.

El fondo de las obras de Flaubert es pesimista, no porque él predique ni esas ni otras doctrinas, pues escritor más impersonal y reservado no se ha visto nunca, sino porque su implacable observación descubre a cada instante la flaqueza y nulidad de los propósitos e intentos humanos: ya nos muestre a Madama Bovary soñando amores poéticos y cayendo en prosaicas torpezas, ya a Salambona expirando horrorizada de su bárbaro triunfo, ya a Bouvard y Pécuchet estudiando ciencias y tragando libros para quedarse más sandios de lo que eran, no tiene Flaubert rincón donde puedan albergarse ilusiones consoladoras. Escarneció sobre todo la sociedad moderna, lo que se suele llamar ilustración, progreso, adelantos, industria y libertades. Este es un aspecto de Flaubert que no dejaron de imitar Zola y sus secuaces; sólo que Flaubert no obedecía a un sistema; hacíalo por instinto. En el trato con sus amigos, Flaubert se mostraba, al contrario, entusiasta y exaltado, y apasionábase fácilmente.

XI

LOS HERMANOS GONCOURT

Llegando a hablar de los hermanos Goncourt me ocurren dos ideas: la primera, que temo elogiarlos más de lo justo, porque me inspiran gran simpatía y son mis autores predilectos, y así prefiero declarar desde ahora cuánta afición les

tengo, confesando ingenuamente que hasta sus defectos me
cautivan. «La muchedumbre—dice Zola—no se prosternará
jamás ante los Goncourt; pero tendrán su altar propio, riquísimo, bizantino, dorado y con curiosas pinturas, donde
irán a rezar los sibaritas.» —Soy devota de ese altar, sin pretender erigir en ley mi gusto, que procede quizá de mi temperamento de colorista—. La segunda idea que me asalta es
maravillarme de que haya quien califique a los realistas de
meros *fotógrafos,* militando en sus filas los dos escritores
modernos que con mayor justicia pueden preciarse de *pin-
tores.*

En España apenas son conocidos los Goncourt. Llámase
el uno Edmundo, el otro se llamó Julio; trabajaron en íntima colaboración produciendo novelas y obras históricas,
hasta que Julio, el menor, bajó a la tumba. Tan unidos vivie-
ron, fundiendo sus estilos e ingenios, que el público los creía
un solo escritor. Edmundo, el vivo, en su bellísima novela
Los hermanos Zemganno, simbolizó esta estrecha fraterni-
dad intelectual en la historia de dos hermanos gimnastas que
juntos ejecutan en el circo arriesgadísimos ejercicios y man-
comunan su fuerza y destreza, llegando a ser un alma en dos
cuerpos, y cuando el menor se quiebra ambas piernas en
una caída, *Gianni,* el mayor, renuncia a trabajos que no puede
compartir ya con su amado *Nello.* Dejaré al mismo Edmundo de Goncourt explicar el cariño que los enlazaba. «No
solamente se querían los dos hermanos, sino que se sentían
ligados entre sí por lazos misteriosos, por ataduras psíqui-
cas, por átomos adhesivos y naturalmente gemelos—aun
cuando la edad de ambos era diversa, y diametralmente
opuestos sus caracteres—. Pero sus primeros movimientos
instintivos eran exactamente idénticos... No sólo los indi-

viduos, sino los objetos inanimados, que sin razón fundada
atraen o repelen, les producían igual efecto. Y por último,
las ideas, esas creaciones del cerebro que nacen no se sabe
cuándo ni por qué y brotan sin saber cómo; las ideas, en
que ni los mismos enamorados coinciden, eran comunes y
simultáneas en los dos hermanos... Y su trabajo se confun-
día de tal modo, y de tal manera se mezclaban sus ejercicios,
y lo que hacían era tan de ambos, que nadie elogiaba a ninguno de ellos en particular, sino a la sociedad... Habían
llegado a tener para dos un solo amor propio, una sola vanidad y un solo orgullo.»

Mucho tiempo transcurrió sin que los Goncourt lograsen,
no diré el aplauso, pero ni aun la atención del público.
Alguna de sus novelas fue acogida con tanta indiferencia,
que el disgusto del mal suceso aceleró la muerte de Julio.
Ahora sí que, gracias al estrépito que mueve el naturalismo,
comienzan a ser muy leídas las novelas de los Goncourt, y
Edmundo, que al faltarle su hermano quedó desanimado y
abatido y quiso colgar la péñola, vuelve a trabajar, y pasa
por el tercer novelista vivo de Francia, no faltando quien le
antepone a Daudet.

Goncourt fue el primero que llamó *documentos humanos*
a los hechos que el novelista observa y acopia para fundar
en ellos sus creaciones. Pero los que imaginan que todo
realista o naturalista está cortado por el patrón de Zola,
se admirarían si entendiesen la originalidad de Goncourt.
Ni se parece a Balzac ni a Flaubert; y aunque discípulo de
Diderot, no toma de él sino el colorido y el arte de expresar sensaciones. Stendhal estudiaba el mecanismo psicológico y el proceso de las ideas, y los Goncourt, alumnos del
mismo maestro, sobresalen en copiar con vivos toques la

realidad sensible. Son, ante todo (inventemos, a ejemplo
suyo, una palabra nueva), *sensacionistas*. No poseen la lucidez de Flaubert, ni su estilo perfecto, ni su impersonalidad poderosa: al contrario, si toman por materia primera lo
real, es para vaciarlo en el molde de su individualidad, o
como diría Zola, para mostrarlo al través de su temperamento.

En dos cosas descollaron los Goncourt: en conocer el
arte y costumbres del siglo xviii y manifestar los elementos estéticos del xix. Estudiaron la centuria decimoctava
con fogosidad de artistas y paciencia de eruditos, comunicando al público el resultado de sus investigaciones en muchos y muy notables libros histórico-biográficos e histórico-
anecdóticos; coleccionaron estampas, muebles, libros y fo-
lletos, todo lo concerniente a aquella época, no por reciente
menos interesante; y de la actual mostraron en sus novelas
multitud de aspectos poéticos en que nadie reparaba. Lejos
de inventariar, como Flaubert, las miserias y ridiculeces de
la sociedad moderna, o de limitarse por sistema, como
Champfleury [1], a describir tipos y escenas vulgares, los
Goncourt descubrieron en la vida contemporánea cierto
ideal de hermosura que exclusivamente le pertenece y no
pueden disputarle otras edades y tiempos. Por boca de uno
de sus personajes dicen los Goncourt: «Todo está en lo
moderno. La sensación e intuición de lo contemporáneo,
del espectáculo con que tropezamos a la vuelta de la es-
quina, del momento presente, donde laten nuestras pasiones y como una parte de nosotros mismos, es todo para el
artista.» Y fieles a esta teoría, los Goncourt extraen de la

---

[1] Jules Husson Champfleury (1821-1889), autor de novelas realistas.

vida actual lo artístico, como del oscuro carbón hace el químico surgir la deslumbradora luz eléctrica.

Esta simpatía por la vida moderna puede tomar forma harto trillada y convertirse en admiración hacia los adelantos y mejoras científico-industriales de nuestro siglo: en los Goncourt la tomó más desusada y nueva, enteramente artística. Su ideal fue el de la generación presente, que no se limita a admirar una sola forma del arte, sino que las comprende y disfruta todas con refinado eclecticismo, prefiriendo quizá las extrañas a las hermosas, como les sucedía a los Goncourt. Un párrafo de Teófilo Gautier sobre el poeta Carlos Baudelaire define muy bien este modo de sentir el arte, y es aplicable a los Goncourt: «Gustábale... lo que impropiamente se llama estilo decadente, y no es sino el arte llegado a esa madurez extremada que produce el oblicuo sol de las civilizaciones vetustas: estilo ingenioso, complicado, hábil, lleno de matices y tentativas, que ensancha los límites del idioma, pone a contribución todo vocabulario técnico, pide colores a toda paleta, notas a todo teclado, y se esfuerza en traducir los pensamientos más inefables, las formas y contornos más vagos y fugitivos... Tal es el idioma fatal y necesario de los pueblos en que la vida facticia sustituye a la natural, desarrollando en el hombre necesidades desconocidas. Y no es fácil de manejar este estilo que los pedantes desdeñan, porque expresa ideas nuevas con nuevos giros y palabras nunca escuchadas.»

¡Si es fácil o no, sólo lo sabe quien lucha con el indómito verbo para domarlo! Edmundo de Goncourt cree que su hermano Julio enfermó y murió de las heridas que recibió batallando con la frase rebelde, a la cual pedía lo que ningún escritor le pidiera jamás: que sobrepujase a la paleta.

Antes de escribir, se habían dedicado los Goncourt a la pintura al óleo y grabado al agua fuerte, y rodeádose de primorosos *bibelots,* juguetes asiáticos, ricas armas, paños de seda japonesa bordados a realce, porcelanas curiosas. Solteros y dueños de sí, se entregaron libremente a su pasión de artistas, y al cultivar las letras quisieron expresar aquella hermosura del colorido que les cautivaba y aquella complejidad de sensaciones delicadas, agudas, en cierto modo paroxísmicas, que les producían la luz, los objetos, las formas, merced a la sutileza de sus sentidos y a la finura de su inteligencia. En vez de salir del paso exclamando (como suelen los escritores chirles) «no hallo palabras con que describir esto, aquello o lo de más allá», los Goncourt se propusieron *hallar palabras* siempre, aunque tuviesen que inventarlas.

Para comunicar al lector las impresiones de sus afinadísimos sentidos, los Goncourt amplían, enriquecen y dislocan el idioma francés. Indignados de la pobreza y deficiencia del habla al compararla con la abundancia y riquísima variedad de las sensaciones, le perdieron el respeto a la lengua, y fueron los más osados neologistas del mundo, sin reparar tampoco en tomarse otras licencias, pues no bastándoles la novedad de las palabras acudieron a colocarlas de un modo inusitado, siempre que así expresasen lo que el autor deseaba. Y no se limitaron a pintar lo exterior de las cosas y la sensación que produce su aspecto, sino las sugestiones de tristeza, júbilo o meditación que en ellas encuentra el ánimo: de suerte que no sólo dominaron el colorido como Teófilo Gautier, sino el claroscuro, la cantidad de luz o de sombra, que tanto influye en nuestro espíritu.

Los Goncourt se valen de todos los medios imaginables para lograr sus fines: repiten una misma palabra con ob-

jeto de que la excitación reiterada acreciente la intensidad
de la sensación; emplean dos o tres sinónimos para nombrar un objeto; cometen tautologías y pleonasmos; inven-
tan vocablos; sustantivan los adjetivos; incurren a cada paso
en defectos que horrorizarían a Flaubert. A veces tales osa-
días dan resultados felicísimos, y un giro o una frase salta
a los ojos del lector grabando en su retina y transmitiendo
a su cerebro la viva imagen que el artista quiso mostrarle
patente. Los procedimientos de los Goncourt, levemente
atenuados, los adoptó Zola en sus mejores descripciones;
Daudet a su vez tomó de ellos las exquisitas miniaturas
que adornan algunas de sus páginas más selectas, y todo
escritor colorista habrá de inspirarse, de hoy más, en la lectura de los dos hermanos.

¡Cuán bella y deleitable cosa es el color! Sin asentir a la
doctrina de aquel sabio alemán que pretende que en tiempo
de Homero los hombres veían muchos menos colores que
hoy, y que este sentido se afina y enriquece a cada paso, no
dejo de creer que el culto de la línea es anterior al del colorido, como la escultura a la pintura; y pienso que las letras, a medida que avanzan, expresan el color con más brío
y fuerza y detallan mejor sus matices y delicadísimas tran-
siciones, y que el estudio del color va complicándose lo
mismo que se complicó el de la música desde los maestros
italianos acá. En una revista científica he leído no ha muchos días que existen sujetos que experimentan una sensación luminosa al escuchar un sonido, sensación luminosa y
cromática que es siempre la misma cuando el sonido es
igual, y varía cuando éste cambia. De modo que un sonido
puede excitar la retina al par que el tímpano, y para el individuo dotado de tan singular propiedad, cada tono de

sonido corresponde exactamente a un tono de color. A obtener resultados análogos se endereza el método de los Goncourt: escriben de suerte que las palabras produzcan vivas sensaciones cromáticas, y en eso consiste su indiscutible originalidad. Aunque la traducción forzosamente ha de deslucir el esmalte policromo de tan caprichoso estilo, trasladaré aquí un párrafo de la novela *Manette Salomon,* donde los Goncourt describen las exageraciones de un colorista, pero más bien parece que declaran su propio empeño de vencer al pincel con la pluma.

«Buscaba incesantemente el pintor medios de animar su paleta, de calentar los tonos, de abrillantarlos. Parado ante los escaparates de mineralogía, con propósito de despojar a la naturaleza apoderándose de las luces multicolores de las petrificaciones y cristalizaciones relampagueantes, se embelesaba con los azules de azurita, de un azul de esmalte chino; con los lánguidos azules de los cobres oxidados; con el celeste de la lazulita que pasa del azul real al azul marino. Seguía toda la escala del rojo, desde los mercurios sulfurados, acarminados y sangrientos, hasta el negro rojizo de la hematites, y soñaba con el *amalito,* color perdido del siglo XVI, entonación cardenalicia, verdadera púrpura romana... De los minerales se trasladaba a las conchas, a las coloraciones madres de la suavidad e idealidad del tono, a todas las variedades del rosa en una fundición de porcelana, desde la púrpura sombría hasta el rosa desmayado y el nácar donde el prisma se baña en leche. Inventariaba todas las irisaciones y opalizaciones del arco iris... En su pupila recogía el azul del zafiro, la sangre del rubí, el oriente de la perla, las aguas del diamante. Creía el pintor que para pintar necesitaba ya de cuanto brilla y arde en mar, tierra y cielo.»

Esto mismo creen los Goncourt, y de ahí nacen las excepcionales condiciones—no me atrevo a decir cualidades, aunque tengo para mí que lo son—de su estilo. Me apresuro a añadir que los Goncourt no valen únicamente por eximios maestros del colorido y singulares intérpretes de la sensación, pues demostrado tienen también ser grandes observadores que saben estudiar caracteres. Es verdad que no proceden como Balzac, ni como Zola, quienes crearon personajes lógicos que obran conforme a los antecedentes sentados por el novelista, y van por donde los lleva la fatalidad de su complexión y la tiranía de las circunstancias. Los personajes de los Goncourt no son tan automáticos; parecen más caprichosos, más inexplicables para el lector; proceden con independencia relativa, y sin embargo, no se nos figuran maniquíes ni seres fantásticos y soñados, sino personas de carne y hueso, semejantes a muchos individuos que a cada paso encontramos en la vida real, y cuya conducta no podemos predecir con certeza, aun conociéndoles a fondo y sabiendo de antemano los móviles que en ellos pueden influir. La contradicción, irregularidad e inconsecuencia, el enigma que existe en el hombre, lo manifiestan los Goncourt mejor quizá que sus ilustres émulos.

Hay dos grupos de novelas que llevan el nombre de Goncourt al frente: uno es obra de los hermanos reunidos, otro de Edmundo solo; pero el método es igual en ambos. Nadie aplicó más radicalmente que los Goncourt el principio recientemente descubierto de que en la novela es lo de menos argumento y acción, y la suma de verdad artística lo importante. En algunas de sus novelas, como *Sor Filomena*

y *René Mauperin,* todavía hay un drama, muy sencillo, pero
drama al cabo: en *Manette Salomon, Carlos Demailly, Ger-
minia Lacerteux,* apenas se encuentra más que la serie de
los sucesos, incoherente al parecer, y lánguida a veces,
como acontece en la vida: en *Madame Gervaisais* todavía
es menor, o más delicado si se quiere, el interés de la narración; no existen acontecimientos, y el drama íntimo y
hondo de la conversión de una librepensadora al catolicismo se representa en el alma de la protagonista. Esta
novela sorprendente no sólo carece de asunto en el sentido
usual de la frase, sino también de diálogo.

Poseen los Goncourt un fortísimo microscopio, y lo emplean, no tanto en registrar el alma humana y visitar los
repliegues del cerebro, cuanto en observar en todos los objetos detalles menudos, exquisitos y curiosos, hilos delga-
dísimos que tejen la realidad. Para otros autores, la vida
es tela grosera; para los Goncourt, encaje primoroso cua-
jado de cenefas, flores y estrellitas delicadísimas que bordó
diestra mano. Parece que bajo el cristal de su microscopio
—como bajo el de los sagaces naturalistas que descubrieron
el mundo de los infusorios y las regiones micrográficas—
la creación se dilata, se multiplica y se ahonda.

Las novelas más celebradas de los Goncourt son *Germi-
nia Lacerteux* y *La Elisa.* El éxito de ellas se debe quizá a
la curiosidad y gusto depravado del público, que suele preferir ciertos asuntos y buscar en la novela la satisfacción de
ciertos apetitos. Para mí las obras mejores de los Goncourt
son el hermoso poema de amor fraternal titulado *Los hermanos Zemganno,* donde la poesía se cobija tras la verdad
—como la perla en la valva del feo molusco—; y sobre

todo, la admirable *Manette Salomon,* donde los egregios escritores encontraron aquello que tanto aprecia el artista, la conformidad del genio con el asunto.

XII

DAUDET

Alfonso Daudet nació en el mediodía de Francia, país de literatura amena y clima benigno, semejante por esto a nuestra Andalucía. La templada atmósfera, el claro sol y la vegetación floribunda de las zonas meridionales parecen reflejarse en el carácter de Alfonso Daudet, en su chispeante fantasía y feliz complexión literaria. Su hermano Ernesto, en el libro titulado *Mi hermano y yo,* descubre la precocidad del talento de Alfonso, y afirma que su primer novela, escrita a los quince años de edad, sería digna de figurar en la colección de sus obras actuales, observando también que la crítica no ha podido encontrar inferioridad relativa entre los distintos libros que publicó, ni elegir y señalar una obra suya superior a las restantes, como hizo con los Goncourt, Flaubert y Zola.

Azarosos fueron los pródromos de la historia literaria de Alfonso Daudet. Luchó de un modo heroico contra la estrechez en que poco a poco se vio envuelta su familia —estrechez que llegó a rayar en pobreza—; entró de inspector en un colegio, acogióse después a la prensa, y desde su asilo comenzó a trabajar modesta y valerosamente para formarse una reputación. Su primer libro fue un tomo

de versos, *Las enamoradas,* por el cual la crítica le dijo,
con hiperbólico encarecimiento, que había recogido la pluma del difunto Alfredo de Musset; luego se dedicó a la
prosa, empezando por componer cuentecillos breves, estudios ligeros sobre cualquier tema, descripciones de lugares
y tipos de su país, y de estas acuarelas fue pasando a cuadros de caballete, o sea novelas de costumbres, hasta que
por último se atrevió a cubrir de color vastos lienzos, grandes novelas sociales: grandes digo, no por las dimensiones,
sino por la profundidad de observación que encierran.

No falta quien excluya a Alfonso Daudet de la escuela
realista y naturalista, fundándose en ciertas dotes poéticas
de su ingenio. Yo pienso que entre los realistas debemos
clasificar sin género de duda al autor de *Numa Roumestan.*
En efecto: los procedimientos de Alfonso Daudet, su método para componer e idear, son del todo realistas. Antes
de acostarse, apunta minuciosamente los sucesos y particu-
laridades que notó durante el día (a imitación de Dickens,
con el cual tiene muchos puntos de contacto), y bien se
puede asegurar que no hay pormenor, carácter ni aconteci-
miento en sus novelas que no esté sacado de esos cuadernos
o del rico tesoro de su memoria. Zola dice acertadamente
que Daudet carece de imaginación en el sentido que sole-
mos dar a este vocablo, pues nada inventa: solamente es-
coge, combina, dispone los materiales que de la realidad
tomó. Su personalidad literaria, lo que Zola llama *temperamento,* interviene después y funde el metal de la realidad
en su propia turquesa. ¡Notable engaño el de los que creen
que, por ajustarse al método realista, abdica un autor su
libre facultad creadora, y lo afirman con tono doctoral, lo
mismo que si formulasen irrecusable axioma de estética!

Daudet ve las cosas a su modo y las estudia, no con la severa impersonalidad de un Flaubert, no con la intensa emoción artística de los Goncourt, no con la lucidez de visionario de un Balzac, sino con sensibilidad ingenua, con esa velada y suave y honda ironía que conocen bien los asiduos lectores de Dickens. No es frío analizador, no es el médico refiriendo con glacial indiferencia los síntomas de una enfermedad, ni tampoco el artista que busca ante todo la perfección; es el narrador apasionado, que simpatiza con unos héroes y se indigna contra otros, cuya voz tiembla a veces, cuyos ojos anubla furtiva lágrima.

Sin hablar incesantemente de sí propio, sin cortar el relato para dirigir al que lee reflexiones y advertencias, Daudet sabe no ausentarse jamás de sus libros; su presencia los anima. Una de sus novelas, *Le Petit Chose,* está tejida con sucesos de la infancia y adolescencia del autor, y sus personajes son individuos de la familia Daudet; pero aun cuando no concurra en ellas esta misma circunstancia, todas las obras de Daudet conmueven, porque sabe practicar el *si vis me flere...* del modo discreto que lo consiente el arte contemporáneo; no por medio de exclamaciones y apóstrofes, sino con cierto calor en el estilo, con inflexiones gramaticales muy tiernas, muy penetrantes, que llegan al alma. Conocemos, aunque el autor no se tome el trabajo de advertírnoslo, que profesa afición a este o aquel personaje; escuchamos la risa melodiosa y sonora con que se burla de los pícaros y de los necios; mas todo esto lo distinguimos al trasluz, y gozamos del placer de adivinarlo. Mientras Stendhal cansa, como cansaría una demostración matemática, y los Goncourt excitan los nervios y deslumbran la pupila, y Flaubert abruma y causa esplín y misantropía, Dau-

det consuela, refresca y divierte el espíritu, sin echar mano
de embustes y patrañas como los idealistas, con sólo la magia de su amorosa condición y simpático carácter. Aquella
nota festiva, ligera a veces, que en la vida no falta y sí en
las novelas de Zola, la posee el teclado de Daudet. Es su
talento de índole femenina, no por lo endeble, sino por lo
gracioso y atractivo.

Su estilo parece labrado sin violencia ni esfuerzo, con
grato abandono, aunque sin descuido. Y no obstante, si
Julio de Goncourt murió extenuado y hasta loco de puro
adelgazar la frase para imprimirle intensa vibración nervio-
sa; si Flaubert sudaba y gemía al limar sus páginas como
el leñador a cada golpe que descarga sobre el árbol; si Zola
llora de rabia y se trata de idiota al releer lo que escribe,
y otra vez lo pone en el yunque y vuelve a martillarlo hasta darle la apetecida forma, Ernesto Daudet asegura que al
redactar alguna página suelta, armoniosa, donde la frase
fluye majestuosamente a modo de río que rueda arenas de
oro, su hermano, exigente consigo mismo, lidia, sufre y pa-
lidece, quedando enfermo de cansancio para muchos días.
¡Esta es la *difícil facilidad* por tantos deseada y obtenida
por tan pocos!

No atesora Alfonso Daudet la portentosa cultura especial de los Goncourt, ni menos la vasta erudición de Flaubert. Sabe lo que necesita saber, ni más ni menos; el resto
se lo figura, y en paz. Ni alardea de filósofo, ni se precia
con exceso de estilista y gramático, ni sería capaz de sujetarse a los severos estudios que pide una obra como *Salambona,* por ejemplo. Sus viajes de exploración los hace
al través del mundo social, recorriendo a París en todas
direcciones, escudriñándolo todo con sus ojos miopes que

concentran la luz, y observando cuantas variadas y curiosas escenas se desarrollan en la vida de la gran capital, donde ni faltan comedias, ni escasean dramas, ni deja a veces la tragedia de surgir, puñal en mano, sobre la trama, vulgar en apariencia, de los sucesos.

Ofrece Alfonso Daudet un fenómeno, revelador de su naturaleza de artista: gústale, sobre todo, estudiar los tipos raros y originales, las costumbres extrañas y pintorescas que un momento se dibujan, como muecas rápidas, en la fisonomía mudable y cosmopolita de París. Prefiere estas contracciones pasajeras al aspecto normal, y goza en fotografiar instantáneamente—y estereotiparlas después—esas existencias de murciélago, entre luz y sombra, esos tipos sospechosos que se llamaron un tiempo *la bohemia;* aventureros de la ciencia, de la banca, del arte; figuras heteróclitas, que hunden los pies en el fango y levantan a los cielos del lujo y de la celebridad su frente; gentes de quienes hablan hoy todos los periódicos y mañana se enterrarán quizá en la fosa común. En alguna de las novelas de Daudet, el *Nababo* [1], por ejemplo, casi todos los personajes son de esta ralea: el médico norteamericano Jenkins, mezcla de Locusta y Celestina; Felicia Ruys, mitad artista excelsa y mitad cortesana; el nababo Jansoulet, la ex odalisca su mujer, todos son personajes extraordinarios, hongos que brotan en la podredumbre de una sociedad vieja, de una capital babilónica, y cuya forma singular y ponzoñosos colores atraen la mirada y la cautivan más que la belleza de las rosas.

Fue el *Nababo* la primera novela de Daudet que ganó a

---

[1] *Le Nabab.*

su autor celebridad inmensa: y la causa de su éxito—¡triste es decirlo!—se debió en gran parte a que la novela estaba salpicada de *indiscreciones,* o sea de noticias anecdóticas
referentes a cierto período del segundo imperio, y a eleva-
dos personajes que en él figuraron. Triste es decirlo, repito, porque el hecho atestigua que el público es incapaz de
interesarse por la literatura sola y sin aditamentos, y que
si un autor se hace célebre de golpe y vende edición tras
edición de un libro, es que supo espolvorearlo con la sal
y pimienta de la crónica escandalosa. Cuando se dijo que
el *Nababo* tenía clave; cuando se supo que Alfonso Daudet, comensal y protegido del duque de Morny, lo exhibía
en los mínimos detalles de su vida privada, hubo quien se
escandalizó tratando al autor de desagradecido y vil; yo
me escandalizo más aún de las gentes que por esa ingrati-
tud y esa vileza, y no por el resplandor de su hermosura,
conocieron entonces el ingenio de Daudet.

Alegó Alfonso Daudet, para lavarse de la mancha de ingrato, que él no había desfigurado ni afeado el perfil del
duque de Morny ni de ninguna de las personas que retra-
taba; que la opinión general se las representaba muchísimo más feas, y que si ellas viviesen, a buen seguro que le
agradecerían los rasgos que les prestó. Como artista, ex-
puso otra razón más poderosa: su absoluta incapacidad para
inventar, y la fuerza invencible con que el modelo vivo se
le incrustaba en la memoria, en términos de no permitirle
reposo hasta que los trasladaba al papel.

Realmente es arduo el problema. ¿Por qué hacer al novelista de peor condición que el pintor? Va éste, suponga-
mos, a una sociedad o a un festín, adonde le convidan;
mira en torno suyo; se fija en la cabeza del anfitrión, en las

formas de alguna señorita que se sienta a su lado; vuelve a casa, coge los pinceles, y sin el menor escrúpulo pasa al lienzo lo que vio, y nadie le tacha de ingrato ni le califica de miserable. Pero que un escritor realista se resuelva a aprovechar el más mínimo detalle observado en casa de un amigo, hasta de un indiferente o enemigo jurado, y diránle que rasga el velo de la vida privada, que viola el sagrado del hogar, y todo el mundo se dará por ofendido, y hasta le pondrán pleito, como a Zola, por el apellido de un personaje.

Claro está que el novelista digno de este nombre, al coger la pluma, no obedece a antipatías ni a rencores, ni ejerce una misión vengadora, ni es siquiera el satírico que aspira a clavar en la picota al individuo y a la sociedad. Su propósito es muy diverso: obedece a su musa, que le ordena estudiar, comprender y exponer la realidad que nos rodea. Así es que, volviendo a Daudet, lo que éste toma indistintamente de sus amigos o de sus adversarios, no es aquella verdad nimia que aun los biógrafos desdeñan, sino ciertos datos que son como el trozo de madera o hierro llamado *alma* en que los escultores apoyan y sustentan el barro al modelarlo: la armazón, digámoslo así. El nababo Jansoulet, por ejemplo, existió; pero Daudet, al escribirlo, conservó el fondo y modificó hartos pormenores.

Si en alguna novela de Daudet hay intención satírica, es en *Los reyes en el destierro*. El autor se propuso allí demostrar, y no sé si demostró; sé que el propósito se transparenta. Sin embargo, a fuer de consumado artista, evitó la caricatura y diseñó el nobilísimo y augusto contorno de la reina de Iliria. El monárquico más monárquico no haría cosa tan bella.

Además del mundo parisiense, descuella Daudet en describir su provincia con donaire singular. Conoce a los meridionales; y ya nos cuente la burlesca epopeya de *Tartarín de Tarascón,* el Quijote de Gascuña, que sale de su villa natal resuelto a matar leones en las africanas selvas, y sólo consigue cazar a un pollino y rematar a un león viejo, ciego y agonizante; ya perfile con trazos tan genuinos y fisonomía tan regional al tamborilero de *Numa Roumestan,* o al mismo *Numa,* carácter soberano que lleva el sello indeleble de una localidad, siempre nos hará sonreír Daudet, y nos conmoverá siempre.

Opina Zola que Daudet está providencialmente destinado a reconciliar al público con la escuela naturalista, mediante las dotes con que se capta las simpatías del lector, y las cualidades que le abren puertas cerradas para Zola: las del hogar doméstico, las de la elegante biblioteca de palo de rosa, adorno del gabinete de las damas. Tengo para mí que esas puertas no se franquearán jamás a todas las obras de Zola, aunque envíe delante a cien Daudets allanando obstáculos. Daudet pertenece a la misma escuela que Zola, es cierto; pero se contenta con acusar la musculatura de la realidad, mientras el otro la desuella con sus dedos de hierro y la presenta al lector en láminas clínicas. Pocos estantes de palo de rosa gemirán bajo el peso de *Pot-Bouille.*

Alfonso Daudet posee una colaboradora, que es su mujer, autora también de algún libro. ¿Quién sabe si a tan blando influjo se deberá el que Daudet huya de extremar el método naturalista y se mantenga—según reconoce con generosa imparcialidad Zola—en el punto crítico donde acaba la poesía y comienza la verdad?

XIII

ZOLA.—SU VIDA Y CARÁCTER

Reservé adrede el último lugar para el jefe de la escuela naturalista, y hablé primero de Flaubert, Daudet y los Goncourt, no tanto por ceñirme al orden cronológico, cuanto por no emprenderla con el discutidísimo novelista, sin estudiar antes las variadas fisonomías de sus compañeros, cuya diversidad es argumento poderoso a favor del realismo. Si Stendhal no se parece a Balzac, ni Balzac a Flaubert; si los hermanos Goncourt lucen tan peregrinas y nuevas condiciones artísticas, y Daudet es tan personal, Zola a su vez se distingue de todos ellos.

Trataré de Zola más despacio que de sus colegas, no porque le otorgue la primacía—sólo el tiempo decidirá si la merece—pero porque, cuando el valor de sus obras pudiera negarse, no así el puesto de jefe y campeón del naturalismo, que ocupa. Zola es—además de novelista revolucionario que dispara libros a manera de bombas, cuyo estrépito obliga a la indiferente multitud a volver la cabeza y arremolinarse atónita—expositor, apologista y propagandista de una doctrina nueva que formula en páginas belicosas. En vano rehúsa el título de jefe de escuela, asegurando que el naturalismo es antiguo, que él no se lo ha encontrado en los bolsillos del gabán, que a nadie lo impone, y que antes que él lo siguieron otros autores. Claro está que un hombre solo, por eminente que sea su genio, no improvisa un movimiento literario; pero basta para que le llamemos jefe, que las circunstancias o sus propios arrestos le traigan a acaudillarlo, como acaudilla Zola con gran bizarría las huestes de lo que todo el mundo llama ya *naturalismo*.

A Pablo Alexis [1], discípulo de los más adictos de Zola, debemos cantidad de pormenores biográficos referentes al maestro. Emilio Zola nació en París el año 1840: por sus venas corre sangre italiana, griega y francesa: su padre era ingeniero. El futuro novelista no se mostró de muy despejado entendimiento en sus primeros años y estudios: en las casillas de su cerebro no encajaba la retórica, y hasta dos veces fue reprobado en los exámenes del bachillerato en letras. Por fallecimiento de su padre, Zola se halló privado de recursos, y para no morirse literalmente de hambre, desempeñó humildes empleos y tuvo a gran fortuna poder ingresar en el establecimiento de librería de Hachette, donde ejerció funciones más manuales que literarias. Desde aquel modesto asilo, a la sombra de los estantes cargados de volúmenes, comenzó a escribir: sus ensayos pasaron inadvertidos, y aunque Villemessant [2], amigo de proteger a los principiantes, le confió la sección bibliográfica del *Fígaro,* no tuvieron mejor suerte sus artículos de crítica que sus trabajos de amena literatura. Los *Cuentos a Ninon,* donde no faltan páginas hermosas, fueron acogidos con indiferencia, y el pobre *commis* de librería, enterrado tras del pupitre, desconocido, anegado en el mar inmenso de las letras parisienses, sufría torturas no inferiores a las de Sísifo y Tántalo, al presenciar la rápida venta de libros ajenos y el estancamiento de los propios.

¡Cuántas vigilias, cuántas horas de cavilaciones febriles corren para el autor que siente pesar sobre su alma la oscu-

---

[1] Paul Alexis, autor francés y biógrafo de Zola.

[2] *Contes á Ninon.*

ridad de su nombre, como pesa en invierno la tierra sobre el germen! Zola maduraba una idea que había de reportarle fama y bienestar; proyectaba escribir algo análogo a la *Comedia humana* de Balzac, un ciclo de novelas donde estudiase, en la historia de los individuos de una familia, las diferentes clases y aspectos de la sociedad francesa bajo el cetro de Luis Napoleón; pero necesitaba un editor que se asociase a sus planes y no temiera emprender la publicación de tan vasta serie de obras, de autor casi desconocido. Consiguió por fin que Lacroix se arriesgase a editarle una novela, y se comprometió a entregarle dos cada año, y que le pagase por ellas un sueldo de dos mil reales al mes: la propiedad del libro quedaba por diez años enajenada a favor del editor, y lo mismo los derechos de traducción e inserción en folletines. Así que Zola granjeó esta renta mezquina, retiróse a Batignolles, y allí, en una casita con huerto poblado de conejos, gallinas y patos, comenzó la vida de productor metódico e incansable que desde entonces lleva.

No protegía la suerte al editor Lacroix, y hubo de liquidar, y traspasó los negocios emprendidos al fénix de los editores, llamado Charpentier. Ya en poder de éste, Zola, que es muy despacioso en idear y escribir, se retrasó en la entrega de los dos tomos anuales estipulados, y hallóse debiendo al editor dos mil duros adelantados por éste: grata sorpresa causóle, pues, Charpentier cuando, llamándole a su despacho, le declaró que sus libros producían dinero, que no quería abusar de un contrato leonino, y que no solamente se daba por cobrado de su anticipo, sino que le ofrecía otra suma igual, asociándole además a sus ganancias futuras y asegurándole un lucido rédito sobre los volúmenes anteriormente publicados. Esto era para Zola, más que dorada medianía, riqueza; animóse, y en vez de gastar en alegre y poética holganza sus fondos, se aplicó a trabajar con más ardor que nunca.

A fuer de enemigo de los románticos, se propuso Zola vivir enteramente al revés que ellos y llevar una existencia ordenada, *en prosa,* por decirlo así. Su huerto, su gabinete de estudio, sus contados amigos, su familia, alguna reunión en casa del editor Charpentier, son las ocupaciones que le absorben y las distracciones que goza. Levántase siempre a la misma hora, se sienta al escritorio, y despacha sus tres cuartillas de novela, ni más ni menos; echa su siesta para restaurar el sistema nervioso y no gastar más cerebro del necesario; despierta, hace ejercicio, ensarta un fulminante artículo crítico de los que tanto escuecen a sus compañeros en letras, y después asiste al teatro o pasa la noche recogido en su hogar; y este método es invariable y exacto como la marcha de un reloj... cuando rige bien, por supuesto.

Recordando el modo de vivir de la generación que precedió a Zola, se advierte el contraste. Devorados por su ardiente fantasía, la mayor parte de los poetas y literatos del romanticismo pudieron decir con nuestro Espronceda: «siempre juguete fui de mis pasiones». La inspiración, que para Zola es una criada fiel y laboriosa, que todas las mañanas a la misma hora viene a cumplir su obligación de hilar tres cuartillas, era para los románticos una amante caprichosa y coqueta, que cuando menos se percataban acudía a otorgarles dulcísimos favores, y luego se volaba como un pájaro; al sentir el roce de sus alas, Alfredo de Musset encendía las bujías y abría de par en par el balcón *para que entrase la musa.* Otros la invocaban sobreexcitando sus facultades con el abuso del café, del opio o de la cerveza, y para todos era feliz aventura lo que hoy para Zola es función natural, digámoslo así, o costumbre adquirida, como la de la siesta que duerme.

Los rostros, la apostura y hasta el traje, poseen una elocuencia no accesible quizá a los profanos, pero clarísima para el observador. Al comparar los retratos de algunos corifeos del romanticismo con el único que de Zola pude procurarme, comprendí, mejor que leyendo un tomo de historia de la literatura moderna, cuánta distancia separa a *Graziella* del *Assommoir*. El pensamiento se graba en la faz, las ideas se filtran, se transparentan bajo el cutis, y los semblantes de la generación romántica descubren aquellos entusiasmos y melancolías, aquel ideal poético y filosófico que caldea sus obras. El largo cabello, las facciones finas, expresivas, más bien descarnadas, lo caprichoso del traje, el fuego de los ojos, el porte altivo y meditabundo a la vez, son rasgos comunes a la especie; pueden darse estas señas lo mismo de la apolínica e imberbe faz de Byron o de Lamartine, que de las elegantes y soñadoras cabezas de Espronceda, Zorrilla y Musset. En cuanto a Zola...

Su cara es redonda, su cráneo macizo, su nuca poderosa, sus hombros anchos como de cariátide, tiene trigueña la color, roma la nariz, recia la barba y recio y corto también el cabello. Ni en su cuerpo atlético ni en su escrutadora mirada hay aquella distinción, aquel misterioso atractivo, aquella actitud aristocrática, un tanto teatral, que poseyó Chateaubriand en sus buenos tiempos, y hace que al contemplar su retrato se quede uno pensativo y vuelva a mirarlo otra vez. Si algún rasgo característico ofrece el tipo de Zola, es la fuerza y el equilibrio intelectual, patentes en el tamaño y proporciones armónicas del cerebro, que se adivinan por la forma de la bóveda craneana y el ángulo recto de la frente.

En resumen: el físico de Zola corresponde al *prosaísmo,* al concepto mesocrático de la vida, que domina en sus obras. No se entienda que al decir el *prosaísmo* de Zola me refiero al hecho de que trate en sus novelas asuntos bajos, feos o vulgares. Goethe siente que no hay tales asuntos, y que el poeta puede embellecer cuantos adopte. Aludo más bien al carácter, vida y actos del escritor naturalista, donde falta del todo eso que los franceses llaman *rêverie* (la palabra española *ensueño* no lo expresa bien), y aludo, en suma, a la proscripción del lirismo, a la rehabilitación de lo práctico, que supone la conducta de Zola.

Como los antiguos atletas, Zola hace profesión de limpieza y honestidad de costumbres, y se jacta de preferir, como Flaubert, la amistad al amor, declarándose un tanto *misógino* o aborrecedor del bello sexo, y desdeñando a Sainte-Beuve por apegado a las faldas en demasía. A este alarde de continencia añade Zola otro de conyugal ternura, y habla siempre de su mujer de un modo no galante ni apasionado, que eso no está en su cuerda, pero sí cariñosote y cordial en extremo. Su vida interior es pacífica y ejemplar, y huyendo de la sociedad, se complace en la compañía de su madre, su mujer y sus hijos, acariciando la esperanza de retirarse, andando el tiempo, a alguna aldea, a algún rincón fértil y sosegado.

Tal es el terrible jefe del naturalismo, el autor diabólico cuyo nombre estremece a unos, y a otros enfurece; el novelista cuyas obras encienden en rubor el semblante de las damas que las leen por casualidad; el cronista de las abominaciones, impurezas, pecados y fealdades contemporáneas.

El dice de sí propio: «Soy un ciudadano inofensivo, y nada más. ¡Ay de mí! Ni siquiera tengo un vicio.»

A San Agustín le compararon con un águila; Zola compara a Balzac con un toro: ¿por qué no he de permitirme también un símil zoológico, diciendo que el animal a quien más se asemeja Zola es el buey? Como él, es vigoroso, forzudo y lento. Como él, abre despacio el surco, y se ve el esfuerzo de su testuz al remover la tierra hondamente arrancando piedras y estorbos. Como él, no tiene gracia, ni finura, ni alegría, ni son airosas sus formas, ni su paso es ágil. Como él, hace labor sólida y duradera.

En lo que no se parece Zola al buey es en la mansedumbre. Para la lucha se convierte en toro, y toro furioso, que arremete a ciegas al adversario, soportando impertérrito en su dura piel los pinchazos de la crítica. Una persona sensible, tímida y cosquillosa, estaría ya muerta si sobre ella descargasen los insultos y ataques que llovieron sobre Zola; mientras él los recibe, no ya con indiferencia, sino como estímulos y espolazos que más le animan al combate. Cuando publicó el *Assommoir* levantóse un somatén general: no quedó injuria que no le prodigasen; como suele suceder, el público confundió al autor con la obra, y le atribuyó las groserías y delitos de todos sus personajes, lo mismo que a Balzac se le acusó de libertinaje porque reseñaba costumbres licenciosas. Hasta creyeron a Zola viejo, feo y ridículo, y le supusieron parroquiano de la innoble taberna que describe, jurando que debía hablar la jerga de los barrios bajos; como si para conocer esa jerga y poder trasladarla al papel en un libro como el *Assommoir,* no se necesitase ser, ante todo, literato, y hasta filólogo sagaz.

9

Zola se creció ante los ataques, que debieron lisonjearle mucho, según su teoría de que sólo las obras discutidas valen y viven. Desdeñando la opinión así del público que le admira como del que le insulta, prescinde del juicio de la multitud y se propone domarla e imponerle el suyo propio. En sus labios no brilla la dulce sonrisa de Daudet, sino un mohín de reto y orgullo. No seduce, desafía; no se reporta ni se corrige, antes acentúa su *manera* en cada libro. Ediciones innumerables, celebridad ruidosísima, traducciones a todos los idiomas, las columnas de la prensa llenas del sonido de su nombre, la trasformación literaria que sufrimos vaciada en sus moldes, son motivos suficientes para que Zola, a despecho del lodo que le arrojan a la faz, crea que el triunfo está de su parte y que él es quien acertó con el gusto de nuestro siglo.

XIV

ZOLA.—SUS TENDENCIAS

El ciclo de novelas a que debe Zola su estruendosa fama se titula *Los Rougon Macquart, historia natural y social de una familia bajo el Segundo Imperio.* Herida esta familia en su mismo tronco por la *neurosis,* se va comunicando la lesión a todas las ramas del árbol, y adoptando diversas formas, ya se presenta como locura furiosa y homicida, ya como imbecilidad, ya como vicio de alcoholismo, ya como *genio artístico,* y el novelista, habiendo trazado en persona el árbol genealógico de la estirpe de Rougon, con sus mezclas, fusiones y saltos atrás, reseña las metamorfosis del terrible mal hereditario, estudiando en cada una de sus novelas un caso de enfermedad tan misteriosa.

Adviértase que la idea fundamental de los *Rougon Macquart* no es artística, sino científica, y que los antecedentes del famoso ciclo, si bien lo miramos, se encuentran en Darwin y Hæckel mejor que en Stendhal, Flaubert o Balzac. La ley de *transmisión hereditaria,* que imprime caracteres indelebles en los individuos por cuyas venas corre una misma sangre; la de *selección natural,* que elimina los organismos débiles y conserva los fuertes y aptos para la vida; la de *lucha por la existencia,* que desempeña oficio análogo; la de *adaptación,* que condiciona a los seres orgánicos conforme al medio ambiente; en suma, cuantas forman el cuerpo de doctrinas evolucionistas predicado por el autor del *Origen de las especies,* pueden verse aplicadas en las novelas de Zola.

Atentos sólamente al aspecto literario de éstas, suelen los críticos reírse del aparato científico que despliega el jefe de la escuela naturalista: lo cual me parece ligereza notoria, dado que Zola no es un Edgardo Poe que se sirva de la ciencia como de entretenida fantasmagoría o medio de excitar la curiosidad del lector. Prescindir del conato científico en Zola, es proponerse deliberadamente no entenderlo, es ignorar dónde reside su fuerza, en qué consiste su flaqueza y cómo formuló la estética del naturalismo. Su fuerza digo, porque nuestra época se paga de las tentativas de fusión entre las ciencias físicas y el arte, aun cuando se realicen de modo tan burdo como en los libros de Julio Verne; y por muchas burletas y donaires que los gacetilleros disparen a Zola con motivo de su famoso árbol genealógico y sus alardes de fisiólogo y médico, no impedirán que la generación nueva se vaya tras sus obras, atraída por el olor de las mismas ideas con que la nutren en aulas, anfiteatros, ateneos y revistas, pero despojadas de la severidad didáctica y vestidas de carne.

Digo su flaqueza, porque si es verdad que hoy exigimos al arte que estribe en el firmísimo asiento de la verdad, como no tiene por objeto principal indagarla, y la ciencia sí, el artista que se proponga fines distintos de la realización de la belleza, tarde o temprano, con seguridad infalible, verá desmoronarse el edificio que erija. Zola incurre a sabiendas en tan grave herejía estética y será castigado, no lo dudemos, por donde más pecó.

Curioso libro podría escribir la persona que dominase con igual señorío letras y ciencias, sobre *el darvinismo en el arte contemporáneo.* En él se contendría la clave del pesimismo, no poético a la manera de Leopardi, sino depresivo, que como negro y mefítico vapor se exhala de las novelas de Zola; del empeño de patentizar y describir la *bestia humana,* o sea el hombre esclavo del instinto, sometido a la fatalidad de su complexión física y a la tiranía del medio ambiente; de la mal disimulada preferencia por la reproducción de tipos que demuestren la tésis; idiotas, histéricos, borrachos, fanáticos, dementes, o personas tan desprovistas de sentido moral, como los ciegos de sensibilidad en la retina.

Los darvinistas consecuentes y acérrimos, para apoyar su teoría de la descendencia animal del hombre, gustan de recordarnos las tribus salvajes de Australia y describirnos aquellas enfermedades en que la responsabilidad y la conciencia fallecen; Zola los imita, y en un arranque de sinceridad, declara que prefiere el estudio del caso patológico al del es-

tado normal, que es, sin embargo, lo que en la realidad
abunda.

Aquí ocurre una pregunta: ¿será censurable en Zola el
fundar sus trabajos artísticos en la ciencia moderna y con-
sagrarlos a demostrarla? ¿No parece más bien loable intento?
Paso; enterémonos primero de qué cosa son las ciencias a
que Zola se atiene.

No es ahora ocasión propicia para aquilatar la certidumbre o falsedad del darvinismo y doctrina evolucionista: híce-
lo en otro lugar lo mejor que supe [1], y lo digo, no por
alabarme, sino a fin que no me acuse algún malicioso de
hablar aquí de cosas que no procuré entender. Pero, en resumen, limitándome a exponer el dictamen de los más cali-
ficados e imparciales autores, indicaré que el darvinismo no
pertenece al número de aquellas verdades científicas demos-
tradas con evidencia por el método positivo y experimental
que Zola preconiza, como, por ejemplo, la conversión de
la energía y correlación de las fuerzas, la gravitación, ciertas propiedades de la materia y muchos asombrosos descu-
brimientos astronómicos; sino que, hasta la fecha, no pasa
de sistema atrevido, fundado en algunos principios y hechos
ciertos; pero riquísimo en hipótesis gratuitas, que no descan-
san en ninguna prueba sólida, por más que anden a caza de
ellas numerosos sabios especialistas allá por Inglaterra, Alemania y Rusia. Ahora bien: comoquiera que en achaque
de ciencias exactas, físicas y naturales tenemos derecho para
exigir demostración, sin lo cual nos negamos terminante-
mente a creer y rechazamos lo arbitrario, he aquí que todo
el aparato científico de Zola viene a tierra, al considerar que

[1] *Reflexiones científicas con-* *tra el darvinismo,* en «La Ciencia Cristiana», IV, 1877.

no procede de las ciencias seguras, cuyos datos son fijos e invariables, sino de las que él mismo declara que empiezan aún a balbucir y son tan tenebrosas como rudimentarias: ontogenia, filogenia, embriogenia, psicofísica. Y no es que Zola las interprete a su gusto, o falsee sus principios; es que esas ciencias son de suyo novelescas y vagas; es que, mientras más indeterminadas y conjeturales las encuentre el científico riguroso, más campo abrirán a la rica imaginación del novelista.

¿Qué le queda, pues, a Zola, si en tan deleznables cimientos basó el edificio orgulloso y babilónico de su *Comedia humana?* Quédale lo que no pueden dar todas las ciencias reunidas; quédale el verdadero patrimonio del artista; su grande e indiscutible ingenio, sus no comunes dotes de creador y escritor. Eso es lo que permanece, cuando todo pasa y se derrumba; eso es lo que los siglos venideros reconocerán en Zola (aparte de su inmensa influencia en las letras contemporáneas).

Si Zola fuese únicamente el autor *pornográfico* que hace arremolinarse a la multitud con curiosidad y dispersarse con rubor y tedio, o el sabio a la violeta que barniza sus narraciones con una capa de lustre científico, Zola no tendría más público que el vulgo, y ni la crítica literaria ni la reflexión filosófica hallarían en sus obras asunto donde ejercitarse. ¿Consagra alguien largos artículos el examen de las popularísimas y entretenidas novelas de Verne? ¿Dedícase nadie a censurar despacio las no menos populares de Pablo de Kock? [2] Todo ello es cosa baladí, que no trasciende. Las

[2] Paul de Kock (1794-1871), escritor francés, autor de numerosas novelas.

de Zola son harina de otro costal, y su autor—a pesar de los pesares—grande, eximio, extraordinario artista.

Pasajes y trozos hay en sus libros que, según su género, pueden llamarse definitivos, y no creo temeraria aseveración la de que nadie irá más allá. Los estragos del alcohol en el *Assommoir,* con aquel terrible epílogo del delírium tremens; la pintura de los mercados en *El vientre de París;* la delicada primera parte de *Una página de amor;* el graciosísimo idilio de los amores de Silverio y Miette en *La fortuna de los Rougon;* el carácter del clérigo ambicioso en *La conquista de Plasans;* la riqueza descriptiva de *La falta del cura Mouret,* y otras mil bellezas que andan pródigamente sembradas por sus libros, son quizá insuperables. Con la manifestación de un poderoso entendimento, de una mirada penetrante, firme, escrutadora, y a la vez con la copia de arabescos y filigranas primorosísimas, Zola suspende el ánimo. Tengamos el arrojo de decirlo, una vez que tantos lo piensan: en el autor del *Assommoir* hay hermosura.

En cuanto a sus defectos, mejor diré a sus excesos, ellos son tales y tanto los va acentuando y recargando, que se harán insufribles, si ya no se hicieron, a la mayoría. Pecado original es el de tomar por asunto no de una novela, pero de un ciclo entero de novelas, la odisea de la *neurosis* al través de la sangre de una familia. Si esto lo considerase como un caso excepcional, todavía lo llevaríamos en paciencia; pero si en los Rougon se representa y simboliza la sociedad contemporánea, protestamos y no nos avenimos a creernos una reata de enfermos y alienados, que es, en resumen, lo que resultan los Rougon. ¡A Dios gracias, hay de todo en el mundo, y aun en este siglo de tuberculosis y anemia, no falta quien tenga mente sana en cuerpo sano!

Dirá el curioso lector: ¿según eso, Zola no estudia sino casos patológicos? ¿No hay en la galería de sus personajes alguno que no padezca del alma o del cuerpo, o de ambas cosas a la vez? Sí los hay: pero tan nulos, tan inútiles, que su salud y su bondad se traducen en inercia, y casi se hacen más aborrecibles que la enfermedad y el vicio. A excepción de Silverio—que en rigor es un fanático político—y de la conmovedora y angelical Lalie del *Assommoir,* los héroes virtuosos de Zola son marionetas sin voluntad ni fuerza. Lo activo en Zola es el mal: el bien bosteza y se cae de puro tonto. ¡Cuidado con la singularísima mujer honrada de *Pot-Bouille!* ¡Pues y el sandio protagonista de *El vientre de París!* Es cosa de preferir a los malvados, que al menos están descritos de mano maestra y no se duermen.

Cuando un escritor logra descubrir el filón de las ideas latentes y dominantes en su siglo; cuando se hace intérprete de aquello que más le caracteriza—sea malo o bueno—, por fuerza ha de abundar en el sentido de los errores de la edad misma que interpreta. Esta mutua acción del autor sobre el público y del público sobre el autor favorito, explica asaz los yerros que cometen talentos claros y profundos, pero que al cabo llevan impreso el sello de su época. No nacieron las novelas de Zola entre el polvo de los estantes henchidos de libros clásicos, ni como resplandecientes mariposas revolaron acariciadas por el sol de la fantasía del autor: se engendraron en el corral donde Darwin cruzó individuos de una misma especie zoológica para modificarlos, en el laboratorio donde Claudio Bernard verificó sus experimentos y Pasteur estudió las ponzoñosas fermentaciones y el modo con que una sola y microscópica bacteria inficiona y descompone un gran organismo: la idea de *Nana.* Antes que Zola dibujase el árbol genealógico de los Rougon-Macquart, Hæckel, con rasgos muy semejantes, había trazado el que une a los lemúridos y monos antropomorfos con el hombre; antes que Zola negase el libre albedrío y proclamase el pesimismo, el vacío y la nada de la existencia, Schopenhauer y Hartmann ataron la voluntad humana al rollo de hierro de la fatalidad, declarando que el mundo es un sueño vacío, o más bien una pesadilla.

Que existe esta íntima relación entre las novelas de Zola y las teorías y opiniones científicas propias de nuestro siglo, no puede dudarse, por más que hartos críticos afirmen que Zola carece de cultura filosófica y técnica, siendo muchísimo lo que ignora y bien poco lo que sabe. En primer lugar, esta ignorancia de Zola es relativa, pues se refiere únicamente al pormenor y al detalle, no impidiendo a su inteligencia abarcar la síntesis y el conjunto de tales doctrinas, para lo cual no hay necesidad de quemarse las cejas, y sobra con leer algunos artículos de revista y hasta una docena de libros de la «Biblioteca científica internacional». Cabalmente distingue al artista—y Zola lo es—la intuición rápida y segura que le permite reflejar y encarnar en sus obras, por sorprendente manera, lo que apenas entrevió.

Además, los miasmas de ciencia novelesca, que pudiéramos llamar *leyendas de lo positivo,* flotan en la atmósfera como los gérmenes estudiados por Pasteur, y se filtran insensiblemente en las creaciones del arte. Apuntemos en el capítulo de cargos contra Zola el fundarse, para sus trabajos realistas, en lo incierto y oscuro de la ciencia, y olvidando sus ideas filosóficas, estudiemos sus procedimentos artísticos y retórica especial.

XV

ZOLA.—SU ESTILO

Si exceptuamos a Daudet, todos los naturalistas y realistas modernos imitan a Flaubert en la *impersonalidad,* reprimiéndose en manifestar sus sentimientos, no interviniendo en la narración y evitando interrumpirla con digresiones o raciocinios. Zola extremó el sistema perfeccionándolo. Fácilmente se advierte, al leer una novela cualquiera, cómo los pensamientos de los personajes, aun siendo verdaderos y sutilmente deducidos, salen bañados y cubiertos de un barniz peculiar al autor, pareciendo que es éste, y no el héroe, quien discurre. Pues Zola—y aquí empiezan sus innovaciones— presenta las ideas en la misma forma irregular y sucesión desordenada, pero lógica, en que afluyen al cerebro, sin arreglarlas en períodos oratorios ni encadenarlas en discretos razonamientos; y con este método hábil y dificilísimo a fuerza de ser sencillo, logra que nos forjemos la ilusión de *ver pensar* a sus héroes. Es indudable que la idea, despertada rápidamente al choque de la sensación, habla un lenguaje menos artificioso del que empleamos al formularla por medio de la palabra; y si alguna vez la lengua va más allá que el pensamiento, por lo general las percepciones del entendimiento e impulsos de la voluntad son violentos y concisos, y la lengua los viste, disfraza y atenúa al expresarlos. Los novelistas, cuando levantaban la cubierta de las molleras (como Asmodeo [1] los tejados), y querían mostrarnos su ínte-

---

[1] El diablo protagonista de la novela picaresca de Vélez de Guevara *El Diablo Cojuelo.*

rior actividad, empleaban perífrasis y circunloquios que Zola
ha sido tal vez el primero en suprimir, procediendo como
los confesores, que si el penitente por vergüenza o deseo de
cohonestar su conducta, busca rodeos y anda a caza de frases ambiguas y palabras oscuras, suelen rasgar los tules en
que se envuelve el alma, y decir el vocablo propio, de que
el pecador no osaba servirse.

Mas no por eso son justos los que afirman que la frase
cruda, callejera y brutal, y el pensamiento cínicamente des-
nudo, tejen el estilo grosero de Zola. Créenlo así muchos
que de sus obras sólo conocen lo peor de lo peor, es decir,
aquello que precisamente lisonjeó su depravada curiosidad.
En el conjunto de sus obras, el creador de Albina, Helena y
Miette sacrifica en aras de la poesía. Si inventó, como dicen
sus censores, la *retórica del alcantarillado,* también, según
él mismo declara, sentó el pie hartas veces en prados cubiertos de hierbas y flores. No creo que sea prosa la sinfonía descriptiva, el poema paradisíaco que ocupa una tercera
parte de *La falta del cura Mouret,* y donde el mismo buril
firme que grabó en metal el estilo canallesco de los mercados y barrios bajos de París, esculpió las formas espléndi-
das de la rica vegetación que en aquella soñada selva crece,
se multiplica y rompe sus broches embalsamando el aire. Y
no sólo en *La falta del cura Mouret,* sino en otros muchos
libros, se entrega Zola al placer de forjar con elementos reales, calenturienta poesía. *La fortuna de los Rougon,* con su
enamorada pareja de adolescentes; la *Ralea,* con su mágico
jardín de invierno, sus interiores suntuosos poetizados por
el arte y el lujo; *Una página de amor,* con sus cinco descripciones de la misma ciudad, vista ya a los arreboles del ocaso,
ya a la luz de la aurora—descripciones que son puro capri-

cho de compositor, serie de escalas destinadas a mostrar la
agilidad de los dedos y la riqueza del teclado—y, por último,
hasta *Nana* y el *Assommoir,* en ciertas páginas, dan testimonio de la inclinación de Zola a *hacer belleza,* digámoslo
así, artificiosamente, dominando lo vulgar, innoble y horrible
de los asuntos. Zola reconoce y declara esta propensión que
va comunicándose a su escuela, y la considera grave defecto,
heredado de los románticos. Su aspiración suprema, su ideal,
sería alcanzar un arte más depurado, más grandioso, más
clásico, donde en vez de escalas cromáticas y complicados
arpegios, se ostentase la sencillez y naturalidad de la *factura*
unida a la majestad del tema. Conviene Zola en que su estilo,
lejos de poseer esa hermosa simplicidad y nitidez que apro-
xima en cierto modo la Naturaleza al espíritu y el objeto al
sujeto, y esa sobriedad que expresa cada idea con las palabras
estrictamente necesarias y propias, está recargado de adjetivos, adornado de infinitos penachos y cintajos y colorines
que le harán tal vez de inferior calidad en lo venidero. ¿Dé-
bense realmente tales defectos a la tradición romántica? ¿No
será más bien que esas puras y esculturales líneas que Zola
ambiciona y todos ambicionamos, excluyen la continua on-
dulación del estilo, el detalle minucioso, pero rico y palpitante de vida, que exige y apetece el público moderno?

En resolución, Zola, lejos de ser descuidado, bajo e incorrecto, peca de alambicado a veces; y los críticos ultrapi-
renaicos, que no lo ignoran y le quieren mal, a vueltas de
las acusaciones de grosería, brutalidad e indecencia, le lanzan alguna muy certera, apellidándole autor quintaesenciado
y relamido. El jefe del naturalismo carece de naturalidad y
sencillez; no lo niega, y lo achaca a la leche romántica que
mamó. Artista lleno de matices, de primores y de refina-

mientos, diríase, no obstante, que su prosa carece de alas, que está ligada por ligaduras invisibles, faltándole aquel grato abandono, aquella facilidad, armonía y número que posee, por ejemplo, Jorge Sand. Su estilo, igual y llano, es en realidad trabajadísimo, sabiamente dispuesto, premeditado hasta lo sumo, y ciertas frases que parecen escritas a la buena de Dios y sin más propósito que el de llamar a las cosas por su nombre, son producto de cálculos estéticos que no siempre logra disimular la habilidad del autor.

Hasta el valor eufónico de las palabras, y, sobre todo, su vigor como toques de luz o manchones de sombra, está combinado en Zola para producir efecto, lo mismo que el modo de usar los tiempos de los verbos. Si dice «iba» en vez de «fue», no es por casualidad o descuido, es porque quiere que nos representemos la acción más aprisa; que el personaje eche a andar a vista del lector. Cuando usa ciertos diminutivos, ciertas frases de lástima o de enojo, oímos el pensamiento del personaje formulado por boca del autor, sin necesidad de aquellos sempiternos monólogos con que ocupan otros novelistas páginas y más páginas.

Las descripciones largas fueron y son imputadas a la escuela naturalista; mas ¡cuántos *prezolistas* [2] hubo en lo tocante a describir! Sólo que en las antiguas novelas inglesas lo pesado e interminable era la pintura de los sentimientos, afectos y aspiraciones de héroes y heroínas, y sus grandes batallas consigo mismos y sus querellas amorosas, y en Walter Scott, todo, paisajes, figuras, trajes y diálogos. ¿Quién más prolijo en extender fondos que Rousseau? Consiste la diferencia entre los idealistas y Zola, en que éste prefiere

[2] *Prezolistas,* anteriores a la escuela de Zola.

a los poéticos castillos, lagos, valles y montañas, las ciudades,
sus calles, sus mercados, sus palacios, sus teatros y sus
congresos, e insiste lo mismo en pormenores característicos
y elocuentes que en detalles de poca monta. ¿Ha visto el
lector alguna vez retratos al óleo hechos con ayuda de un
vidrio de aumento? ¿Observó cómo en ellos se distinguen
las arrugas, las verrugas, las pecas y los más imperceptibles
hoyos de la piel? Algo se asemeja la impresión producida por
estos retratos a la que causan ciertas descripciones de Zola.
Gusta más mirar un lienzo pintado a simple vista, con libertad y franqueza.

No por eso es lícito decir que las descripciones de Zola
se reducen a meros inventarios. Debieran los que lo aseguran
probar a hacer inventarios así; ya verían cómo no es tan
fácil hinchar un perro. Las descripciones de Zola, poéticas,
sombrías o humorísticas (nótese que no digo *festivas),* cons-
tituyen no escasa parte de su original mérito y el escollo
más grave para sus infelices imitadores. Esos sí que nos da-
rán listas de objetos, si como es probable les niega el hado
el privilegio de interpretar el lenguaje del aspecto de las
cosas, y el don de la oportunidad y mesura artística.

Lo mismo digo de cuentos piensan que el método realista
se reduce a copiar lo primero que se ve, sea feo o bonito,
y mejor si es feo, y que copiando así a bulto saldrá una
novela de las que se estilan. Leí no sé dónde que un mozal-
bete decía a un escultor, señalando a la Venus que éste ter-
minaba: «Enséñeme usted a hacer otra como ésa, que debe
ser fácil»; y respondíale el escultor: «Facilísimo: se reduce
a coger un trozo de mármol e irle quitando todos los pedazos
que le sobran.» La ironía del artista es aplicable al caso de
la novela. Zola ha formulado su estética y su método con

harta claridad y prolijidad nada menos que en siete volúmenes, y lo ha aplicado en quince o veinte; no contento con esto, él y sus discípulos a porfía dan al público detalles y revelan secretos del oficio, explicando cómo se trabaja, cómo se recogen notas, cómo se clasifican y emplean, cómo se parte de los antecedentes de familia para restablecer el carácter y condición de un personaje (los novelistas antiguos, al contrario, gustaban de envolver en el misterio y hacer mítico el nacimiento de sus obras); y sin embargo, a pesar de tantas recetas, falta quien las aplique. Por ahora, a pesar de la creciente fama y provecho que a Zola y Daudet reportan sus libros, lo que pulula son novelistas idealistas de la escuela de Cherbuliez [3] y Feuillet [4], de los que imaginan en lugar de observar y sueñan despiertos. En efecto: si la vida, la realidad y las costumbres están presentes a todo el mundo, pocos las saben ver y menos explicar. El espectáculo es uno mismo, los ojos y entendimientos diferentes.

Aquí se ofrece otra cuestión: cierto que Zola pretende observar la verdad, y asegura que con ella están tejidos sus libros; pero, ¿se engañará? ¿Será también la imaginación elemento de sus obras?

Cuando escribió el *Assommoir,* no faltó quien dijese que desfiguraba y exageraba el pueblo; más fuerte aún gritaron los críticos contra la exactitud de *Nana* y *Pot-Bouille.* Si *Nana* se compone de embustes, para toda persona decente el mentir de *Nana* es el mentir de las estrellas; mas por lo que toca a *Pot-Bouille,* la exageración me parece indudable; y mejor que *exageración* le llamaría yo *simbolismo,* o si se

[3] Víctor Cherbuliez (1829-1899), novelista francés.
[4] Octave Feuillet (1821-1890), novelista francés muy fecundo, autor de obras folletinescas.

quiere, *verdad representativa*. Aunque suene a paradoja, el símbolo es una de las formas usuales de la retórica zolista: la estética de Zola es en ocasiones simbólica como... ¿lo diré? como la de Platón. Alegorías declaradas (*La falta del cura Mouret*), o veladas (*Nana, La Ralea, Pot-Bouille*), sus libros *representan* siempre más de lo que *son* en realidad. En *La falta* el autor no oculta la intención simbólica, y hasta el nombre «Paradou» (Paraíso), y el gigantesco árbol a cuya sombra se comete el pecado, recuerdan el Génesis. Nana, la meretriz impura, la *mosca de oro* que se incubó en las fermentaciones del estercolero parisiense y cuya picadura todo lo inficiona, desorganiza y mata, ¿qué es sino otro símbolo? Sobre la rubia cabeza de Nana el autor acumuló toda la inmundicia social, derramó la copa henchida de abominaciones, e hizo de la pervertida griseta un enorme símbolo, una colosal encarnación del vicio; y por el mismo procedimiento, en la casa mesocrática de *Pot-Bouille* reunió cuantas hipocresías, maldades, llagas y podredumbres caben en la mesocracia francesa.

Difícilmente puede un extranjero—aunque haya visitado a París, como casi todo el mundo lo ha visitado—discernir si las costumbres de Francia son tan pésimas: se susurran de allá males que por acá, a Dios gracias, aún no nos afligen, y el censo de población arroja cifras e indica descensos que deben de sugerir profundas reflexiones a los estadistas de la nación vecina; mas con todo eso, yo me figuro que el método de *acumulación* que emplea Zola sirve para hinchar la realidad, es decir, lo negro y triste de la realidad, y que el novelista procede como los predicadores, cuando en un sermón abultan los pecados con el fin de mover a penitencia al auditorio. En suma, tengo a Zola por pesimista, y creo que ve la Humanidad aún más fea, cínica y vil de lo que es. Sobre todo más cínica, porque aquel *Pot-Bouille,* mejor que estudio de las costumbres mesocráticas, parece pintura de un lupanar, un presidio suelto y un manicomio, todo en una pieza.

Quisiera no errar juzgando a Zola, y no atacarlo ni defenderlo más de lo justo. Sé que está de moda hacer asquillos al oír su nombre, pero ¿qué significan en literatura los asquillos? Una cosa es el genio y el ingenio; otra las licencias, los extravíos, los yerros de una escuela. En su misma patria aborrecen a Zola: detestábale el difunto Gambetta [5], porque Zola le discutió como escritor y orador, y la Academia, la Escuela normal, todos los novelistas idealistas, todos los autores dramáticos, la *Revista de Ambos Mundos,* madama Edmond Adam [6], a porfía, reniegan de Zola, le excomulgan y hacen que no le ven. Quizá nosotros, situados, a mayor distancia, apreciaremos mejor la magnitud del caudillo naturalista y preferiremos entender a escandalizarnos.

XVI

DE LA MORAL

Zola nos conduce a tratar el bien manoseado y mal esclarecido punto de la moralidad en el arte literario, y especialmente en la escuela realista. Y ante todo, persignémonos

[5] Leon G a m b e t t a (1838-1882), político francés y célebre orador.

[6] Juliette Lambert Adam, escritora francesa (1836-?). Edmond Adam es su nombre de casada.

10

para que Dios nos libre de filosofías. Ya sé yo que en la esencia divina se dan reunidos los atributos de verdad, bondad y belleza: mas también sé con certidumbre experimental que en las obras humanas aparecen separados y siempre en grado relativo. Un final de ópera donde el tenor muere cantando, puede ser hermosísimo, y no cabe cosa más apartada de la *verdad:* un licencioso grupo pagano será bello sin ser *bueno.* Y esto me parece evidente *per se,* y ocioso el apoyarlo en razonamientos, porque hay en la percepción de la belleza algo de inefable que se resiste a la lógica y no se demuestra ni explica.

Viniendo ya a las relaciones de la moral y de las novísimas escuelas literarias, empezaré por observar que es error frecuente en los censores del realismo confundir dos cosas tan distintas como lo *inmoral* y lo *grosero. Inmoral* es únicamente lo que incita al vicio; *grosero,* todo lo que pugna con ciertas ideas de delicadeza, basadas en las costumbres y hábitos sociales; bien se entiende, pues, que el segundo pecado es venial, y mortal de necesidad el primero. Ya en distintos lugares de estos estudios lo indiqué: la inmoralidad que entraña el naturalismo procede de su carácter fatalista, o sea del fondo de determinismo que contiene; pero todo escritor realista es dueño de apartarse de tan torcido camino, jamás pisado por nuestros mejores clásicos, que, no obstante, realistas y muy realistas eran.

Pocos críticos de aquellos que más claman en contra del naturalismo echan de ver las malas hierbas deterministas que crecen en el jardín de Zola; y el cargo más grave que a éste dirigen—no sin velarse antes la faz—es que sus libros no pueden andar en manos de señoritas. ¡Válanos Dios! Lo primero habría que empezar por dilucidar si conviene más a las señoritas vivir en paradisíaca inocencia, o conocer la vida y sus escollos y sirtes, para evitarlos; problema que, como casi todos, se resuelve en cada caso con arreglo a las circunstancias, por que existen tantos caracteres diversos como señoritas, y lo que a esta le convenga será funestísimo quizá para aquélla, y vaya usted a establecer reglas absolutas. Es análoga esta cuestión a la del alimento; cada edad y cada estómago lo necesita diferente; proscribir un libro porque no todas las señoritas deban apacentar en él su inteligencia, es como si tirásemos por la ventana un trozo de carne bajo pretexto de que no la comen los niños de teta. Désele norabuena al infante su papilla, que el adulto apetecerá el manjar fuerte y nutritivo. ¡Cuán hartos estamos de leer elogios de ciertos libros, alabados tan sólo porque nada contiene que a una señorita ruborice! Y, sin embargo, literariamente hablando, no es mérito ni demérito de una obra el no ruborizar a las señoritas.

Los extranjeros piensan con más acierto, pues comprendiendo que el género de lecturas varía según las edades y estados, y que desde la edad en que el niño deletrea hasta la plenitud de la razón, media un período durante el cual algo ha de leer, escriben obras a propósito para la infancia y juventud, obras en que se emplean a menudo plumas diestras y famosas, hábiles en adaptarse al grado de desarrollo que suelen alcanzar las facultades del público especial a quien se consagran. Por nuestra tierra no dejan de escribirse libros anodinos y mucilaginosos: sólo que sus autores pretenden cautivar a todas las edades, cuando en realidad no se salvan de aburrir a ninguna.

Otro grave inconveniente encuentro en los libros híbridos que aspiran a corregir deleitando. Como cada autor entiende la moral a su manera, así la explica, y dejo al juicio del lector discreto resolver qué será más malo; si prescindir de la moral o falsificarla. Para mí, no hay más moral que la moral católica, y sólo sus preceptos me parecen puros, íntegros, sanos e inmejorables; dicho se está que si un autor bebe sus moralejas en Hegel, Krause o Spencer, las tendré por perniciosas. Rousseau, Jorge Sand, Alejandro Dumas hijo, y otros cien novelistas que se erigieron en moralizadores del género humano, escribiendo novelas docentes y tendenciosas, parécenme de más funesta lectura que Zola, puesto caso que el lector los tomase por lo serio.

Es opinión general que la moralidad de una obra consiste en presentar la virtud premiada y castigado el vicio: doctrina insostenible ante la realidad y ante la fe. Si no hubiese más vida que ésta; si en otro mundo de verdad y justicia no remunerasen a cada uno según sus merecimientos, la moral exigiría que en este valle de lágrimas todo anduviese ajustado y en orden; pero siendo el vivir presente principio del futuro, querer que un novelista lo arregle y enmiende la plana a la Providencia, téngolo por risible empeño.

De todas suertes, sea inmoralidad o grosería lo que en el realismo se descubre, los chillidos de la prensa y del público y el magno *tolle tolle* [1] que nos aturde los oídos, parece que delatan la aparición de un mal nuevo y desconocido, como si hasta la fecha las letras hubiesen sido espejo de honestidad y recato. Y no obstante, hace años que Valera, contendiendo con Nocedal [2], dijo discretamente que no habiendo ocurrido

[1] *Tole,* confusión y griterío, rumor de desaprobación.
[2] Cándido Nocedal (1821-1885), destacado político español, jefe del partido carlista.

nunca los tiempos felices en que la literatura se mostró decorosa e irreprochable, nadie podía desear la vuelta de tales
tiempos. De esta gran verdad, que Valera demuestra con su
acostumbrada elegante erudición, no ha menester pruebas
quien conozca unas miajas nuestros clásicos y teatro antiguo.
Sólo que los adversarios del naturalismo emplean una táctica de mala fe; tan pronto le echan en cara no ser nuevo,
como le oponen, despreciándolo, el ejemplo de la literatura
anterior.

¿Hallaremos acaso, en tiempos más recientes que el Siglo
de Oro, modelos de esa literatura pulcra y austera? Yo he
sido educada en la privación y el santo horror de las novelas románticas; y aunque leía en mi niñez—hasta aprenderme trozos de memoria—la *Ilíada* y el *Quijote,* jamás
logré apoderarme de un ejemplar de Espronceda o de *Nuestra Señora de París,* obras que su fama satánica apartaba de
mis manos. Si los clásicos delinquieron y los románticos
también, ¿por qué echar sobre naturalistas y realistas todo
el peso de la culpa?

Es cosa peregrina ver cómo cada escuela pasa una indulgente esponja sobre sus propias inmundicias, y señala con
el dedo a las ajenas. Hoy los neoclásicos absuelven a los
escritores paganos, alegando que no conocieron a Cristo
—aunque muchos escribiesen después de haber sido anunciado el Evangelio, y como si la Naturaleza misma, a falta
de religión, no proscribiese asaz ciertas abominaciones en
cuyo relato se complacen los poetas latinos—. A su vez los
idealistas perdonan los extravíos románticos, porque aunque
un héroe romántico haga, como Werther, la apología del suicidio, o dude hasta del aire que respira, como Lelia, tiene

la disculpa de ir en pos del ideal, y no importa zampuzar [3]
el cuerpo en el lodo con tal que la mirada se dirija a las
estrellas. Y, por último, para cohonestar aquellas cosazas
que abundan en Tirso y Quevedo, se echa mano del candor
y sencillez de la época en que vivían. El que no se consuela
es porque no quiere. Diránme los defensores de esas escuelas que no *a causa* sino *a pesar* de sus lunares, celebran a
Horacio y a Espronceda y a todos los santos de su devoción:
lo mismito nos sucede a los demás. Cuando Zola atenta
contra el gusto, de mí sé decir que no me da ninguno. Le
preferiría más reportado, y cierto que no elogio en él des-
lices, sino bellezas.

Ahora, si alguien me pregunta dónde empiezan esos des-
lices, y hasta dónde llega la libertad que puede otorgarse al
escritor, yo no lo sabré decidir. Son límites eminentemente
variables, y sólo el tacto, el pulso firme que posee un gran
talento, le sirve de guía para no descarriarse, para levantarse
si llega a caer. Es innegable que el *Quijote* encierra pasajes
bien poco áticos, que con justicia se pueden calificar de gro-
seros, pero al fin son partes de aquel divino todo, el genio
de Cervantes los ha marcado con su estampilla, y, para de-
clararlo de una vez, están muy bien donde están, y yo no
los borraría si de mí dependiese suprimirlos. Me inclino a
comparar los bellos frutos del ingenio humano con la esme-
ralda, piedra hermosa, pero que apenas se halla una que
no tenga un poco de veta o mancha, llamada *jardín*. Los
grandes autores tienen vetas, y no por eso dejan de ser piedras preciosas.

Nana es acaso la obra por la cual se juzga con más seve-

---

[3] *Zampuzar*, zambullir.

ridad a Zola. ¿Será debido al asunto? Siento que más bien
a la falta de tino, al cinismo brutal con que está tratado.
De hecho en la sociedad hay formas, límites, vallas que quizá
no puede salvar una obra que aspira a atravesar victoriosa
las edades; y digo *quizá,* porque si Rabelais y otros escritores rompieron esos diques y alcanzaron nombre imperece-
dero, todavía su licencia constituye un elemento de inferioridad y como una nota desafinada en la sinfonía de su talento.
Vallas y límites son que el genio remueve, pero que vuelven
a alzarse de suyo. Si bien es verdad que se mudan, jamás
desaparecen; y con tanta fuerza se imponen, que no sé de
escritor alguno que totalmente las haya atropellado. Por
atrevida que sea una pluma, por mucho que intente copiar
la nuda realidad, hay siempre un punto en el cual se para,
hay cosas que no escribe, hay velos que no acierta a levan-
tar. El toque está en saber detenerse a tiempo en las lindes
del terreno vedado por la decencia artística.

Pero aquí conviene advertir que la mayoría de los críticos
parece imaginar que sólo existe un género de inmoralidad,
la erótica; como si la ley de Dios se redujese a un manda-
miento. Que el autor se abstenga de pintar la pasión amorosa, y ya tiene carta blanca para retratar todas las restantes.
Y, sin embargo, hay novelas como *El judío errante* o *Los
misterios de París* [4], que por su carácter antisocial y anti-
rreligioso no son menos inmorales que *Nana* por otro concepto. En cuestiones religiosas y sociales, los naturalistas
proceden como sus hermanos los positivistas respecto de los
problemas metafísicos; las dejan a un lado, aguardando a
que las resuelva la ciencia, si es posible. Abstención mil

---

[4] *Le juif errant, Les mistères de París.*

veces menos peligrosa que la propaganda socialista y heré-
tica de los novelistas que les precedieron.

En cuanto a la pasión, sobre todo la amorosa, fuera de
los caminos del deber, lejos de glorificarla, diríase que se han
empeñado los realistas en desengañar de ella a la Humanidad,
en patentizar sus riesgos y fealdades, en disminuir sus atrac-
tivos. De *Madama Bovary* a *Pot-Bouille,* la escuela no hace
sino repetir con fatídico acento que sólo en el deber se
encuentra la tranquilidad y la ventura. El portugués Eça de
Queiroz, en su novela *O primo Bazilio*—donde imita a Zola
hasta beberle el alma—traza un cuadro horrible bajo su
aparente vulgaridad, el del suplicio de la esposa esclava de
su culpa. Claro está que la enseñanza moral de los realistas
no se formula en sermones ni en axiomas: hay que leerla en
los hechos. Así sucede en la vida, donde las malas acciones
son castigadas por sus propias consecuencias.

En resolución, los naturalistas no son revolucionarios utó-
picos, ni impíos por sistema, ni hacen la apoteosis del vicio,
ni caldean las cabezas y corrompen los corazones y enervan
las voluntades pintando un mundo imaginario y disgustando
del verdadero. Son imputables en particular al naturalismo
—no huelga repetirlo—las tendencias deterministas, con defectos de gusto y cierta falta de selección artística, grave
delito el primero, leve el segundo, por haber incurrido en él
los más ilustres de nuestros dramaturgos y novelistas. Lo
que importa no son las verrugas de la superficie, sino el
fondo.

XVII

EN INGLATERRA

Hay gentes que, preciándose de gusto delicado, y repugnando la crudeza de los naturalistas franceses, ponderan la novela inglesa y encomian cierta manera de naturalismo mitigado que le es peculiar. Ya corre con fueros de opinión aristocrática y elegante la de la supremacía de la novela inglesa, así en el terreno moral como en el literario.

Por lo que hace a la moralidad, el lector no ignora cuán infundados y erróneos son a veces los juicios generales: podrá, pues, explicarse fácilmente cómo en nuestra tierra católica y latina está en olor de santidad una literatura hija legítima del protestantismo y adecuada a las costumbres meticulosas, mojigatas, reservadas y egoístas que en la antigua *Isla de los Santos* [1] aclimató el triste puritanismo unido al instinto mercantil de raza. Y no es que Inglaterra no tenga sanas tradiciones realistas e ilustre abolengo literario. Chaucer, padre de su poesía, era ya un realista, y sus *Cuentos de Canterbury,* cuadros tomados del natural; el astro mayor del firmamento británico, el egregio Shakespeare, llevó el realismo hasta donde no osará seguirle acaso ni Zola. Mas si florecieron tempranamente en la Gran Bretaña la poesía y el teatro, la novela nació tarde, cuando ya el país pertenecía irrevocablemente a la Reforma.

¡La Reforma! Dondequiera que prevaleció su espíritu, fue

[1] Denominación que suele concretarse a Irlanda, aunque la Pardo Bazán parece referirse a toda Inglaterra.

elemento de inferioridad literaria; y bien sabe Dios que no lo digo por encomiar el Catolicismo, cuya excelencia no pende de estas cuestiones estéticas, sino por dar a entender que la novela inglesa se resiente de su origen. De cuantos géneros se cultivaron en Inglaterra desde Enrique VIII acá, la novela es donde más se infiltró el protestantismo: por eso los ingleses no produjeron un *Quijote,* es decir, una epopeya de la vida real que pueda ser comprendida por la Humanidad entera.

Desde su misma cuna dominan en la novela inglesa tendencias utilitarias que la atan, digámoslo así, al suelo, y la impiden volar por los espacios sublimes que cruzó la libre y rauda fantasía de Shakespeare y Cervantes. Con tanto como ponderan a Foe dándole el pomposo dictado de «Homero del individualismo», *Robinsón* no pasa de ser una obra incomparable... para los niños de dos a tres lustros. Swift [2], el misántropo coetáneo del autor de *Robinsón,* es de más honda lectura, pero no le va en zaga respecto a intenciones docentes, que al fin y al cabo la sátira representa una dirección radical del *docentismo.* El *Vicario de Wakefield,* de Goldsmith, a trechos suave idilio, grata pintura doméstica, encierra un ideal propiamente inglés, *patriarcalista:* y mientras el ejemplo de las hijas del vicario enseña a huir de la vanidad, *Clarisa* y *Pamela* condenan irrevocablemente la pasión, y abren la serie de las novelas austeras, donde el corazón rebelde es siempre vencido. En cuanto a Walter Scott, no ha tenido descendencia legítima. Walter Scott es un fenómeno aislado en la literatura inglesa, o, para hablar con más exactitud, un hijo de otra nacionalidad diferente, la escocesa, que

[2] Swift (1667-1745), escritor inglés, autor de los *Viajes de Gulliver.*

tiene de soñadora, idealista y poética lo que la inglesa de
práctica y utilitaria. No procede Walter Scott de Shakespeare, no por cierto; mas tampoco discurre por sus venas la
pacífica y prosaica sangre de Foe. Es el bardo que vive en un
pasado teñido de luz y color, semejante a ocaso espléndido;
que reanima la historia y la leyenda, demandando tan sólo a
la realidad aquel barniz brillante nombrado por los románticos *color local;* en suma, es el último cantor de las hermosas edades caballerescas, *the last minstrel.*

Cuando Walter Scott evocaba desde la residencia señorial
de Abbotsford las tradiciones de su romancesca patria, em-
pezaba ya a congregarse en el campo de la novela inglesa la
hueste de novelistas hembras que tanto influyó e influye
en el carácter de aquel género literario, prestándole especial
sabor pedagógico y ético: comenzaban las mujeres a con-
quistar el territorio que hoy señorean, y se leían con afán
los *Cuentos morales* de miss Edgeworth [3], y sonaban los
nombres de miss Mary Russell Mitford [4], miss Austen [5],
mistress Opie [6], lady Morgan [7], mistress Shelley [8]. El elemento femenino, una vez dueño de la novela, ya no soltó la
presa. Hoy se cuentan por docenas las *authoress* que hacen
gemir anualmente las prensas de Londres con frutos de su
ingenio, y desde que faltaron Dickens, Thackeray y Bulwer

[3] Maria Edgeworth (1767-
1849), novelista inglesa de tendencias morales.

[4] Mary Russell Mitford
(1787-1855), escritora inglesa,
autora de *Charles the first.*

[5] J a n e Austen (1775-1877),
novelista inglesa, a u t o r a de
Pride y prejudice.

[6] Mrs. Opie (1769-1853), escritora inglesa, casada con el
pintor Opie.

[7] Lady Morgan, nombre literario de Sidney Owanson (1783-
1859), novelista inglesa, autora
de *The wild Irish Girl.*

[8] Esposa del poeta Shelley y
autora de novelas.

Lytton, el primer novelista inglés fue una mujer, Jorge Eliot [9].

A consecuencia de este predominio de la mujer, la novela inglesa propende a enseñar y predicar, más bien que a realizar la belleza. Apenas la hija del *clergyman* ase la péñola, se encuentra a la altura de su padre, y, ¡oh, inefable placer!, ya puede ir y doctrinar a las gentes; no sólo posee una cátedra y un púlpito, sino que dispone de medios materiales para la propaganda de la fe. Escribe Carlota Yonge [10] el *Heredero de Redcliffe;* véndese bien la edición, y con el producto compra la autora un navío y se lo regala a un obispo misionero. Así es que en las modernas novelistas inglesas llegó a extinguirse casi del todo aquel noble orgullo literario que aspira a la gloria ganada por medio de la concentración del talento y del esfuerzo constante hacia la perfección suma—amor propio de artista, que tan varonilmente manifestó Jorge Sand—; y lejos de aspirar a producir obras hermosas y duraderas, se lanzan al espumoso torrente de la producción rápida, porfiando no a quién lo hará mejor, sino a quién lo despachará más pronto. La extensión obligada de las novelas inglesas son tres gruesos tomos; y las *novelists* que están de moda, como Frances Trollope [11], no se conforman con menos de una novela por trimestre, o sea doce tomos al año. ¡Qué estilo, qué invención, qué caracteres habrá que no inunde y devaste tan caudaloso río de tinta!

Y es que para la nación inglesa la novela ha llegado a ser

---

[9] George Eliot (1819 - 1880), novelista inglesa, autora de *Silas Marner.*
[10] Carlota Yonge (1823-1901), escritora inglesa, autora de novelas históricas.
[11] Mrs. Trollope (1780-1863), novelista inglesa, madre del famoso Anthony Trollope.

artículo de primera necesidad y consumo ordinario, como el *beefsteack* que repara sus fuerzas, como el carbón cuyo calórico templa sus días glaciales y alegra sus largas noches. Hay para la novela concurrencia diaria y segura, lo mismo que aquí para los cafés. Y la novela se hace eco de las aspiraciones del lector, y cumple su oficio político, religioso y moral; se inspira en las exigencias del público, y ya es filosófica como las de Carlos Reade [12]; ya republicana, igualitaria y socialista como en Joshua Davidson [13]; ya teológica como en Carlota Yonge; ya política como en Disraeli [14]; ya fantasmagórica del género de Ana Radcliffe [15], que todavía entretiene y gusta; ya histórica, al estilo de Walter Scott, que aún cuenta discípulos. Los geógrafos y autores de *paisajes* y *marinas,* que siguen las huellas de Fenimore Cooper—el capitán Mayne Reyd, el capitán Marryat y otros capitanes— gozan asimismo del favor de aquel pueblo viajero, colonizador y *turista;* y los norteamericanos Bret Harte y Mark Twain cortan las nieblas de la atmósfera inglesa con unas chispas de *humorismo,* esa penosa y dolorida jovialidad del Norte. Lisonjeadas así sus inclinaciones, atendido en sus gustos menos literarios que prácticos, el pueblo inglés a su vez consagra a los novelistas un cariño personal de que aquí no conocemos ejemplo: díganlo los innumerables peregrinos que todos los años acuden en romería al presbiterio de Haworth, donde nació y pasó los primeros años de su vida la

[12] Charles Reade (1814-1884), novelista inglés, autor de *Jack of all trade.*

[13] Joshua Davidson (1857-?), poeta escocés.

[14] Benjamin Disraeli, l o r d Beaconsfield (1804-1881), novelista y político inglés.

[15] A n n e Radcliffe (1764-1823,) novelista inglesa, que se especializó en las novelas terroríficas.

novelista simpática que ilustró el seudónimo de *Currer
Bell* [16]. No es el lauro literario, es un afecto más íntimo el
que rodea de una aureola el nombre de los novelistas favoritos y caros a la nación británica; porque la novela no se
considera allí pasatiempo ni mero deleite estético, sino una
institución, el quinto poder del Estado, y porque, según dijo
en público el novelista Trollope, las novelas son los sermones de la época actual. Su influencia se extiende no sólo a las
costumbres, sino a las leyes, influyendo en las deliberacio-
nes de las Cámaras, en las continuas reformas que experi-
menta el Código de una nación tan eminentemente conser-
vadora. ¡Qué diversidad de tierra!, diremos con el protagonista de *Very well*. ¡No sino váyanle a proponer a este re-
vuelto y declamatorio Congreso español una modificación
legal sugerida, v. gr., por la lectura de la *Desheredada* [17] o
de *Don Gonzalo González de la Gonzalera...* [18] y ya verán
con qué homérica risa acogen la propuesta nuestros graves
padres de la patria!

En Inglaterra, reconocido ya el dinamismo social de la
novela, todas las clases se jactan de poseer novelistas, y los
hay ministros, marinos, diplomáticos y magistrados. Magistrados, sí; ¡y qué se diría acá en las Audiencias, Dios de
Israel, si un presidente de sala publicase una novelita! Para
dar a entender el influjo y acción de la novela en la raza
sajona, baste citar una, *La choza de Tom* [19], cuyos efectos
antiesclavistas no ignora nadie.

[16] *Currer Bell,* seudónimo de
Emily Brönte.
[17] Novela de Benito Pérez
Galdós.
[18] Novela de Pereda.

[19] *Uncle's Tom Cabin,* de
H. Becher Stowe, generalmen-
te traducida con el título de
La cabaña del tío Tom.

Pero ¿y el naturalismo inglés? Vamos al caso del naturalismo. Repito que las tradiciones de la literatura inglesa son realistas, y añado que realistas fueron Dickens y Thackeray, quizá los nombres más ilustres que honran a la novela británica. Carlos Dickens no temió, en la entonada nación inglesa, descender al estudio de las últimas capas sociales, ladrones, asesinos y mendigos; Thackeray, con más inclinación a la sátira, también estudió en el mundo que le rodeaba sus tipos característicos, de caricaturesco perfil. Y por lo que hace a Jorge Eliot, en cuyas obras resuena hoy la nota más aguda del naturalismo inglés, su programa es realista a la manera de Champfleury, proponiéndose por objeto de sus observaciones, no a las brillantes y excepcionales criaturas tan predilectas de los románticos, sino a la generalidad de los individuos, a los personajes comunes y corrientes, a la clase media, digámoslo así, de la Humanidad. Pues con todo eso, hay en los novelistas ingleses, por muy realistas que sean, propósito moral y docente, empeño de corregir y convertir, afán de salvar al lector—según dice con gracia un reciente historiador de la literatura británica—, no del aburrimiento, sino del infierno, y esto se transparenta lo mismo en la pietista Yonge, que en la librepensadora y filósofa autora de *Adán Bede,* y les roba aquella serena objetividad necesaria para hacer una obra maestra de observación impersonal, según el método realista, y detiene su escalpelo antes de que llegue a lo íntimo de los tejidos y a los últimos pliegues del alma.

Parte de esta culpa debe imputarse al público, factor importantísimo de toda obra literaria. Según queda dicho, el público inglés pide incesantemente novelas, y no de las que saborea a solas en su gabinete el lector sibarita que gusta de admirar primores, contar filigranas y penetrar en abismos psicológicos, sino de las que se leen en familia y pueden escuchar todos los individuos de ella, inclusa la rubia *girl* y el imberbe *scholar*. A los autores que satisfacen esta necesidad, el público inglés les paga espléndidamente: la primera edición de una novela se vende a razón de unos tres duros el volumen, y la edición se agota pronto; de suerte que la multitud de honradas *misses* hijas de *clergymen,* en vez de ponerse a institutrices, se ponen a novelistas, y de su prolífica pluma brotan tomos de incoloro estilo, de incidentes enredados como los cabos de una madeja. De aquí la creciente inferioridad, el descenso del género.

Perdóneme la dilatada y fecunda familia de noveladores de allende el Estrecho si cometo injusticia al hablar de su general decadencia. Podré preciarme de conocer algunas obras suyas; pero ¿quién se alabará de haberlas leído todas? Mi juicio es el que emiten los críticos que consideran principalmente el aspecto literario, y en segundo lugar, como es justo, el moral, y ven que la fabricación precipitada y la sujeción al gusto del público redunda en perjuicio de las cualidades de frescura, inspiración y energía de pensamiento. Si sobre ese océano de cabezas vulgares descuella la noble frente de Jorge Eliot, o se destaca la graciosa fisonomía de *Ouida* [20], lo cierto es que la mayoría de los novelistas ingleses se ha empeñado—expresémoslo con una metáfora—en llenar tres jícaras con una onza de chocolate.

Por añadidura trae la novela inglesa—aun cuando es superior—tan fuertemente impresa la marca de otra religión, de otro clima, de otra sociedad, que a nosotros, los latinos,

[20] *Ouida,* seudónimo de Marie Louise de La Ramée (1839-1908) autora de *On the two Flags.*

forzosamente nos parece exótica. ¿Cómo nos ha de gustar, v. gr., la predicadora metodista, heroína de *Adán Bede?* Ya sé que es de moda vestir con sastre inglés: mas la literatura, a Dios gracias, no depende enteramente de los caprichos de la moda. La malicia me sugiere una duda. Si la novela inglesa tiene hoy entre nosotros muchos admiradores oficiales, ¿tendrá otros tantos lectores?

XVIII

EN ESPAÑA

Allá por Inglaterra y Francia la novela tiene un *ayer;* acá en España, sólo un *anteayer,* si es lícito expresarse así. Allá los noveladores actuales se llaman hijos de Thackeray, Scott y Dickens; Sand, Hugo y Balzac, mientras acá apenas sabemos de nuestros padres, recordando sólo a ciertos abuelos de sangre muy hidalga, del linaje de los Cervantes, Hurtados, Espineles y otros apellidos no menos claros. Es tanto como decir que no hubo en España más novela que la del Siglo de Oro y la hoy floreciente.

Sin embargo, la vida de la novela contemporánea española puede ya dividirse en dos épocas distintas: la del reinado de Isabel II y la que empezó con la revolución de septiembre. Suscitó la guerra de la Independencia grandes poetas líricos, pero hasta que el torrente romántico salvó el Pirene [1], no tuvimos novelistas. Walter Scott hizo su entrada triunfal en nuestras letras, y comenzó el reinado de

[1] *Pirene,* poét. «Pirineos».

la *novela histórica*. Muy curioso libro se podía escribir, por
el estilo del *Horacio en España* [2], reseñando las peregrina-
ciones de la idea *walterescotiana* al través de los cerebros
ibéricos. El espíritu del bardo escocés encarnó en seres tan
diversos entre sí como Espronceda, Martínez de la Rosa,
Gil, Escosura, Cánovas del Castillo, Vicetto, Villoslada,
Fernández y González y otros cuyos nombres ahora no quieren venírseme a la memoria. También se nos coló en casa
Jorge Sand, traída de la mano por su insigne compañera
la Avellaneda, y no se quedó atrás Eugenio Sué, apadrinado
por Pérez Escrich y Ayguals de Izco.

Entre los *walterescotianos,* gente toda de provecho, se
contaba uno que, a no haber derrochado sus singulares facultades y empleado mal sus preciosas dotes, pudo llamarse, mejor que seide [3], rival del autor de *Ivanhoe.* El ingenio
de Fernández y González semejaba árbol frondosísimo cuya
madera servía para obras de talla y escultura; por desgracia la malgastó su dueño en mesas y bancos de lo más común. ¡Riquísima fantasía y variada paleta descriptiva y
numerosa invención la de Fernández y González! Al principio fue el poeta del pasado, que remozaba los libros de
caballerías y prestaba a la tradición heroico-nacional esa
vida nueva que de vez en cuando le otorgan privilegiados
genios como Zorrilla, Walter Scott y Tennyson. Cómo con-
cluyó, nadie lo ignora: por entregas interminables, por tomos vendidos a ínfimo precio, por obras de baja ley, escritas *pro pane lucrando.* Dos o tres novelas de las primeras
que dio a luz son las columnas en que se apoya su nombre
para no caer en el olvido.

[2] Obra de don Marcelino Menéndez y Pelayo.

[3] *Seide,* secuaz fanático de
una secta religiosa.

Acaso poseyó la simpática y tierna autora de *La gaviota* el talento más original e independiente de cuantos se señalaron en el renacimiento de nuestra novela. A pesar de todas sus digresiones y reflexiones y su idílico optimismo, adornan a Fernán Caballero un encanto especial, una gracia característica suya, y ostenta una imaginación alemana en los ensueños y española en el despejo y viveza. Mientras los novelistas de su época metían en tinta lienzos de asunto histórico, a lo Walter Scott, Fernán tomaba apuntes de las costumbres que veía, de la gente que alentaba a su alrededor, pintando *asistentas,* bandidos, *gaviotas,* curas, pastores, labriegos y toreros, y algunas veces en sus bosquejos andaluces brillaba el sol del Mediodía, el que Fortuny condensó en sus cuadros. Hay *patio* de Fernán que no parece sino que lo estamos viendo y que nos alegra los ojos con sus flores, y el oído con el rumor del agua, el cacareo de las gallinas y la inocente charla de los niños. Más real, más sincera y sencilla inspiración es la de Fernán que la de casi todas las novelas de pendón y caldera, capa y espada, o cimitarra y turbante, que se estilaban entonces.

Trueba no alcanza la talla de Fernán Caballero. Un país idólatra de sus propias tradiciones y recuerdos labró el pedestal en que se encumbra el pintor vascuence, cuya paleta no atesora sino mediastintas y colores claros, graciosos, pero sin vigor ni intensidad. El verde, el rosa y el azul celeste dominan, faltando casi del todo los negros, las tierras, los betunes, de que Fernán mismo hizo uso con medida. Algunas escenas rurales de Trueba agradan, como agrada contemplar el curso de un riachuelo poco profundo y de márgenes amenas.

Selgas no describió campesinos, ni pertenece a la escuela de los paisajistas: era un Alfonso Karr [4], un violinista caprichoso que ejecutaba primorosas variaciones sobre un tema cualquiera, bordándolo de arabescos delicados y airosos. Más bien que novelista, fue un *humorista* cáustico, ingenioso y risueño, como suelen ser los humoristas en los países donde el sol pica fuerte. Su estilo desigual se parecía a esos rostros de facciones irregulares que compensan la falta de corrección con la repentina luz de la sonrisa, o con el fuego de la mirada. Selgas brinda al lector mucha grata sorpresa, regalándole, cuando no se percata, rasgos de observación, paradojales agudezas, frases felices, chispazos de ideas originales o al menos presentadas de un modo picante y nuevo. Otro atractivo de Selgas es haber comenzado a estudiar la vida moderna en las grandes ciudades, dejándose de guerreros, moros, odaliscas y castellanas.

Ahora bien: si queremos buscar el eslabón que enlaza con la actual esa época anterior de la novela española, donde figuran Fernán, la Avellaneda, la Coronado, Trueba, Selgas, Fernández y González y Miguel de los Santos Alvarez; esa época en que la novela humanitaria de Escrich convivía con la lírica y *vertheriana* de Pastor Díaz, y la cota de malla de Men Rodríguez y el brial de la Sigea se rozaban con el frac del héroe a quien sus malandanzas obligaron a emigrar *De Villahermosa a la China* [5], si queremos, repito, dar con la soldadura de los dos períodos, es fuerza escribir el nombre de don Pedro Antonio de Alarcón.

[4] Alphonse Karr (1808-1890), escritor francés, autor de numerosas novelas, de estilo cortado y chispeante.

[5] Título de una novela de Nicomedes Pastor Díaz.

Infiltrado de romanticismo hasta la medula de los huesos, *El final de Norma* [6] deleitó a nuestros padres, lo mismo que el precioso capricho de Goya llamado *El sombrero de tres picos* [7] nos deleita a nosotros; y he aquí cómo mi ilustre amigo Alarcón, sin llegar a viejo todavía, puede jactarse de haber cautivado a dos generaciones de gusto bien diferente. En efecto, los otros noveladores, los que ayer fueron regocijo de su edad, ya desaparecieron, arrastrados por la incontrastable corriente del tiempo, de nuestros actuales horizontes literarios, y los que no bajaron a la tumba muérense en vida, de la indiferencia del público inteligente, del desdeñoso silencio de la crítica, y en suma, del olvido, que es la peor muerte para un escritor; mientras Alarcón, resistiéndose como el que más a aceptar las nuevas tendencias, reina aún, es dueño de los corazones y de las imaginaciones, y sostiene con sus hábiles manos el ruinoso edificio de la novela idealista. No sé si habrá algún novelista contemporáneo que hechice al público como el autor de *El escándalo;* no sé si existirá alguno tan leído y predilecto de todos, sin distinción de sexos ni edades; pero sé que harta gente me pide prestada «una novela de Alarcón» con preferencia a las de otros autores. Y no es el público de Alarcón aquel que devora con bestial apetito entregas y tomos de Manini [8]; es el que Spencer llamaría la *medianía ilustrada;* se compone de personas que demandan a la novela entretenimiento o, como se decía antaño, honesto solaz, y abundan en él las damas. ¿Agradará Alarcón por conservar

---

[6] Novela de Pedro Antonio de Alarcón.

[7] La novela más famosa de Alarcón.

[8] José Manini (1750-1834), escritor italiano, autor de novelas de folletín.

aún cierto perfume romántico? Pienso que no: a los españoles les dan mucho que hacer los partidos políticos y poco
que pensar las escuelas literarias. Lo que atrae en Alarcón
es el ingenio amable, «la buena sombra», la galantería mo-
risca que respiran sus retratos de mujer, tocados con pincel
voluptuoso y brillante; el estilo suelto, fácil y animado, el
interés de las narraciones y, en suma, una multitud de cualidades ajenas al romanticismo y que no le deben nada a
nadie, salvo a Dios que se las privilegió con larga mano.
Si en los tipos de *La pródiga,* de *El Niño de la Bola,* de
Fabián Conde y de otros héroes y heroínas de Alarcón se
descubre la filiación romántica, en cambio el ya citado *Som-
bero de tres picos* ostenta un colorido español neto, una
frescura tal, que le hacen en su género modelo acabado. Y
es que el ingenio de Alarcón gana con reducirse a cuadros
chicos: su cincel trabaja mejor exquisitos camafeos, ágatas
preciosas, que mármoles de gran tamaño. Descuella en el
cuento y la novela corta, variedad literaria poco cultivada
en nuestra tierra, y que Alarcón maneja con singular maestría. Por todas estas peregrinas dotes, es Alarcón poderoso
mantenedor de la antigua divisa novelesca y temible adversario de la nueva; mas los del campo enemigo, pedimos
a Dios que desista de colgar la pluma. ¿Dictará su resolución la coquetería de retirarse cuando más le ama el público,
dejando de sí radiante memoria? ¿Será por cansancio? Lo
cierto es que se halla en la plenitud de sus facultades, y
que jamás su fantasía pareció tan lozana como estos años
últimos.

Con la retirada de Alarcón, pierde el idealismo el adalid
más fuerte; Valera, aunque idealista, es un novelista aparte,
que no formará escuela, porque es recio de imitar, según

se entiende, a poco que reflexionemos en las condiciones
que reúne. La más alta valla que separa de Valera a la pro-
fana turba de imitadores, es su elegante y pura dicción,
tomada, mejor que del espontáneo Cervantes, de los místicos, escritores, castizos por excelencia. No sólo bebió en
ellos Valera la limpieza un tanto arcaica de su estilo, sino
el esmero y perspicacia con que escrutan y sondean los ar-
canos misteriosos del alma para explicarlos en frases de oro
y párrafos de labrado marfil. Así es que, cuando se tradu-
jeron al francés las novelas de Valera, bajo el título de *Narraciones andaluzas,* fue forzoso suprimir mucho de ellas,
porque, según la *Révue littéraire,* contenían *trop de théolo-
gie.* Pensaban nuestros vecinos que las hijas de *Dom Valer*
eran unas gitanas alegres, armadas de castañuelas, di
tas a bailar seguidillas y jaleo, y se encontraron
monjas contemporáneas de Santa Teresa y
Granada, que apenas dejaban asomar por
de la toca su bello rostro helénico, do
riana sonrisilla. Con efecto, Valer
de las letras, fundiendo la nat
belleza literaria: el pagano
de la más refinada cult
agregar una v
además V

indigno de una mente prendada de la hermosura clásica y
suprema. Así es que el mayor título de gloria de Valera
será la forma, esa forma aún más admirable aislada, que
relacionada con los asuntos de algunas de sus obras.

No cabe duda que *Pepita Jiménez, Doña Luz* y otras heroínas de Valera hablan muy bien, y con muy concertadas
y discretas razones; mas tampoco puede negarse que, por
desgracia, hoy nadie habla así, a estilo de personaje de
Cervantes. Y cuenta que si nombro a Cervantes para encarecer la perfección con que disertan los héroes de Valera,
no omitiré advertir que el genio realista de Cervantes le
impulsó a hacer que Sancho, por ejemplo, hablase muy mal,
y cometiese faltas, y que Don Quijote le enmendase los
ibles. En Valera no hay Sanchos; todos son Valeras,
ce que se le estudie más bien como a un clásico
n novelista moderno; lo cual para unos será
os censura, y allá se las hayan, que yo
Valera hasta con nimia delectación. Y
teraria que hallé no sé en qué fa-
blece que los novelistas copian
imita y refleja a los nove-
trase a todos tentación
daría en pro del
a nom-

XIX

EN ESPAÑA

Para decir dónde empieza el realismo español contemporáneo, hay que remontarse a algunos pasajes de las novelas de Fernán Caballero, y sobre todo a los autores de las *Escenas matritenses* y *Ayer, hoy y mañana,* sin olvidar a «Fígaro» en sus artículos de costumbres. A pesar de lo mucho que se diferencian el razonable y discreto Mesonero Romanos y el benévolo Flórez del alado, cáustico y nervioso Larra, sus estudios sociales coinciden en cierto templado realismo, salpimentado de sátira. Cuando tanta novela de aquella época pasó para no volver, los escritos ligeros de «Fígaro» y del «Curioso Parlante» se conservan en toda su frescura, porque los embalsama la mirra preciosa de la verdad. Acrecienta su interés el ser espejo de las añejas costumbres nacionales que desaparecían y las nuevas que venían a reemplazarlas; en suma, de una completa transformación social.

Pereda es descendiente en línea recta de aquellos donosos, perspicaces y amables *costumbristas*. Adhirióse francamente a su escuela, pero trasladándola de las ciudades al campo, al corazón de las montañas de Santander. Bizarro adalid tiene en Pereda el realismo hispano: al leer algunas páginas del insigne autor de las *Escenas montañesas,* parece que vemos resucitar a Teniers o a Tirso de Molina. Puédese comparar el talento de Pereda a un huerto hermoso, bien regado, bien cultivado, oreado por aromáticas y salubres auras campestres, pero de limitados horizontes: me daré prisa a explicar esto de los horizontes, no sea que alguien lo entienda de un modo ofensivo para el simpático escritor. No sé si con deliberado propósito o porque a ello le obliga el residir donde reside, Pereda se concreta a describir y narrar tipos y costumbres santanderinas, encerrándose así en breve círculo de asuntos y personajes. Descuella como pintor de un país determinado, como poeta bucólico de una campiña siempre igual, y jamás intentó estudiar a fondo los medios civilizados, la vida moderna en las grandes capitales, vida que le es antipática y de la cual abomina; por eso califiqué de limitado el horizonte de Pereda, y por eso cumple declarar que si desde el huerto de Pereda no se descubre extenso panorama, en cambio el sitio es de lo más ameno, fértil y deleitable que se conoce.

Pereda, a Dios gracias, no cae en el optimismo, a veces empalagoso, de Trueba y Fernán: al contrario, sus paletos, por otra parte divertidísimos, se muestran ignorantes, maliciosos y zafios, como los paletos de veras, y no obstante, los tales rústicos son hijos predilectos del autor, a quien visiblemente enamora la sana, apacible y regeneradora vida rural, tanto como le repugnan los centros obreros e industriales y su desconsolada miseria. Pereda traza con amor los perfiles de jándalos, labriegos y mayorazguetes de aldea, gente sencilla, apegada a lo que de antiguo conoce, rutinaria y sin muchos repliegues psíquicos. Si algún día concluyen por agotársele los temas de la *tierruca* [1]—peligro no inminente para un ingenio como el de Pereda—, por fuerza habrá de salir de sus favoritos cuadros regionales y

---

[1] Nombre familiar que dan los santanderinos a su provincia. Se alude aquí a la novela *El sabor de la tierruca,* de Pereda.

buscar nuevos rumbos. No falta, entre los numerosos y apasionados admiradores de Pereda, quien desea ardientemente que varíe la tocata: yo ignoro si el hacerlo sería ventajoso para el gran escritor; siempre reina cierta misteriosa armonía entre el estilo y facultades de un autor y los asuntos que elige; esta concordia procede de causas íntimas; además el realismo perdería mucho si Pereda saliese de la montaña. Pereda observa con gran lucidez cuando la realidad que tiene delante no subleva su alma, antes le divierte con el espectáculo de ridiculeces y manías profundamente cómicas; pero acaso rompiese el pincel por no copiar las llagas más hediondas y la corrupción más refinada de otros sitios y otras gentes.

Para el realismo, poseer a Pereda es poseer un tesoro, no sólo por lo que vale, sino por las ideas religiosas y políticas que profesa. Pereda es argumento vivo y palpable demostración de que el realismo no fue introducido en España como mercancía francesa de contrabando, sino que los que aman juntamente la tradición literaria y las demás tradiciones, lo resucitan. Cosa que no cogerá de nuevo a los inteligentes, pero sí a la turba innumerable que cuenta la era realista desde el advenimiento de Zola.

Si Pereda tiene el realismo en la masa de la sangre, no así Galdós. Por cierto fondo humano y cierta sencillez magistral de sus creaciones, por la natural tendencia de su claro entendimiento hacia la verdad, y por la franqueza de su observación, el agregio novelista se halló siempre dispuesto a pasarse al naturalismo con armas y bagajes; pero sus inclinaciones estéticas eran idealistas, y sólo en sus últimas obras ha adoptado el método de la novela moderna y ahondado más y más en el corazón humano, y roto de una

vez con lo pintoresco y con los personajes representativos
para abrazarse a la tierra que pisamos. Aunque no gusto
de citarme a mí misma, he de recordar aquí lo que dije de
Galdós, hará sobre tres años, en un estudio no muy breve
que consagré a sus obras en la *Revista Europea*. Desde
aquella fecha, mis opiniones literarias se han modificado
bastante, y mi criterio estético se formó como se forma el
de todo el mundo, por medio de la lectura y de la reflexión;
desde entonces me propuse conocer la novela moderna, y
no sólo llegó a parecerme el género más comprensivo e importante en la actualidad, y más propio de nuestro siglo,
que reemplaza y llena el hueco producido por la muerte de
la epopeya, sino el género en que, por altísima prerrogati-
va, los fueros de la verdad se imponen, la observación des-
interesada reina, y la historia positiva de nuestra época ha
de quedar escrita con caracteres de oro. No obstante, entonces como hoy, Galdós era para mí novelista de primer
orden, sol del firmamento literario, porque en él se reúnen
las dotes de equilibrio y armonía, abundancia y vigor; porque su estilo, si no cabe en la estrecha y cincelada ánfora
de Valera, fluye a oleadas de una urna preciosa; porque
posee felicísima inventiva y ese don de la fecundidad, don
funesto para los malos escritores y aun para los medianos
que propenden a dormitar, prenda de valor inestimable para
los grandes artistas. Con una sola novela o con un frag-
mento de oda, puede ganarse la inmortalidad, es cierto; pero
hay algo que cautiva y suspende en la manifestación de la
energía creadora de esos escritores y poetas que son ellos
solos un mundo, y que dejan en pos de sí larga posteridad
de héroes y heroínas; los Shakespeare, los Balzac, los Walter Scott, los Galdós.

Mas lo que desaprobaba entonces en el Galdós de los *Episodios,* lo que me parecía el lado flaco de su extraordinario talento, era la tendencia docente—en un sentido amplio e histórico, es cierto, pero docente al cabo—, el alegato sistemático contra la España antigua, las paletadas de tierra arrojadas sobre lo que fue; y esta tendencia, que cada vez se iba acentuando más en la magnífica epopeya de los *Episodios,* hasta declararse explícitamente en la segunda serie, hizo explosión, digámoslo así, en *Doña Perfecta,* en *Gloria,* en la *Familia de León Roch,* novelas trascendentalísimas, de tesis, y hasta simbólicas. Por fortuna, o más bien por el tino que guía al genio, Galdós retrocedió para huir de ese callejón sin salida, y en *El amigo Manso* y en *La desheredada* comprendió que la novela hoy, más que enseñar o condenar estos o aquellos ideales políticos, ha de tomar nota de la verdad ambiente y realizar con libertad y desembarazo la hermosura. ¡Bien haya el ilustre escritor, bien haya por haber sacudido el yugo de ideas preconcebidas! Sus desposorios con el realismo le preservarán de la tentación de hacerse en sus novelas paladín del libre pensamiento y del sistema constitucional, cosas que yo aquí no juzgo, pero que en los admirables libros de Galdós no hacen falta como *espíritu informante.*

Contando, pues, en la falange realista a Galdós y Pereda, como en la idealista hemos visto descollar las figuras de Valera y Alarcón, podemos decir que en España está entablada la lucha—lo mismo que en Francia—entre las dos escuelas. Es verdad que aquí la batalla se da callandito y sin gran ardor bélico; es verdad que aquí no se toma la cuestión—¡qué se ha de tomar!—con el calor que en Francia; puede consistir en varias cosas: en que aquí los idealistas no se van tan por los cerros de Ubeda como allá, ni los realistas recargan tanto el cuadro, o sea que ninguna de las dos escuelas exagera por distinguirse de la otra; o acaso en que el público es indiferente a la literatura, sobre todo a la *impresa;* la *representada* le produce más efecto.

El escritor es un factor de la producción literaria, mas no olvidemos que el otro es el público; al escritor toca escribir, y al público animarle y comprar y poner en las nubes, si lo merece, lo escrito; pues bien, en España casi no se puede contar con el público; la amante del público español no es la literatura, es la política, y sólo cuando esta querida imperiosa le deja unos minutos libres, se le ocurre decir a las letras algún requiebro e ir a buscarlas al rincón donde se empeñan en no morirse de tedio. No afirmo yo que las novelas carezcan en absoluto de lectores, si bien la novela, en nuestra tierra de garbanzos, dista mucho de ser, como en Inglaterra, una necesidad social; pero aquí, que no somos ni comunistas ni tacaños, guardamos el comunismo y la tacañería para las novelas, y todo el mundo se asusta de que una novela cueste tres pesetas y hasta dos, como la primera edición de los *Episodios.* Dos pesetas se gastan pronto en el café, en una butaca para el teatro, en cohetes, en naranjas, ¡pero en una novela! Todo español se tienta el bolsillo. Novela tengo yo de Alarcón, Valera o Galdós, que ya he prestado a una docena de personas acomodadas, y a cada una que me la pide le aconsejaría, por su bien, que la comprase, a no recelar que atribuyese el consejo a mala voluntad de no prestarla. En fin, ¿qué más? ¡Hubo quien me pidió prestadas mis propias novelas! Y sin embargo, no sé si llegaría a cincuenta duros lo que costase formar una biblioteca completa de novelistas españoles contemporáneos.

¿Qué puede esperar aquí el novelista? Fijemos el plazo de medio año para *planear,* madurar, escribir y limar una novela, esmerada en la forma y meditada en el fondo: ¿cuál es el producto? Valera declara que su *Pepita Jiménez*—su perla—le habrá valido unos ocho mil reales. ¡De suerte que no asciende a mil duros al año lo que el ingenio novelesco de Valera puede reportar! Casi comprendo que prefiera la embajada.

Y es de advertir que si el novelista español no saca provecho materialmente hablando, tampoco gana mucha honra, ni esas ovaciones embriagadoras que elevan veinte palmos del suelo a los autores dramáticos. Para éstos son todas las ventajas, las pecuniarias y las literarias, amén de verse libres y exentos de la innoble competencia que la novela por entregas y las malas traducciones del francés hacen a los noveladores que se precian de respetar el idioma y el sentido común.

Y no me diga nadie que la cuestión de dinero es baladí, y que basta con la prez de haber escrito algo bueno, aunque nadie manifieste estimarlo. Si el sacerdote vive del altar, ¿por qué no ha de vivir el novelista de la novela? Y puesto caso que no necesite para vivir lo que la novela produzca, ¿no ha de apreciar el dinero, única señal evidente de que no le falta público? Con este sistema de empréstito que se estila en España, una novela puede tener treinta mil lectores y sólo mil ejemplares de edición.

Entre las causas que hacen improductiva la novela en España, no debería contarse la escasez de lectores, pues nosotros tenemos un público inmenso, si atendemos a las repúblicas de Sudamérica que hablan nuestro idioma. Pero gracias a la indiferencia con que se mira cuanto a las letras ata-

ñe, los libreros e impresores de por allá pueden saquear a
los escritores hispanos muy a su sabor, y ese público ultra-
marino resulta estéril para la prosperidad de la literatura
ibera.

Así es que, bien considerado, todavía es admirable que
gocemos de tantos buenos novelistas en España, y de tanta
excelente novela, y que en ese género, que Gil y Zárate [2],
y Coll y Vehi [3] ponen a la cola y hoy marcha a la cabeza
de los demás, nos hallemos a la altura de las primeras naciones europeas. No contamos por docenas los grandes novelistas vivos, pero tampoco los cuenta Francia, ni menos, que
yo sepa, Inglaterra, Alemania e Italia. Comparadas obras
con obras, no cede nuestra patria el paso. Además de Pereda,
Galdós, Alarcón y Valera, de quienes más especialmente tra-
té, hay la cohorte donde figuran Navarrete [4], Ortega Mu-
nilla [5], Castro y Serrano [6], Coello [7], Teresa Arróniz [8], Villoslada [9], Palacio Valdés, Amós de Escalante [10], Oller [11],

[2] Antonio Gil y Zárate (1793-
1861), autor dramático, aunque
aquí se alude a su *Manual de
Literatura.*

[3] José Coll y Vehi (1823-
1876), autor de *Elementos de
Literatura.*

[4] José Navarrete, contemporáneo de Galdós, autor de la
novela *María de los Angeles.*

[5] José Ortega Murilla (1856-
1922), periodista y escritor realista, autor de las novelas *La ci-
garra* y *Lucio Tréllez.*

[6] José de Castro y Serrano
(1829-1896), autor de *Historias
vulgares,* novelas cortas.

[7] Carlos Coello (1850-1888),
novelista realista y autor dramático.

[8] Teresa Arróniz (1827-1890),
autora de varias novelas, entre
las que destacan *Mari Pérez* e
Inés de Vilamor.

[9] Francisco Navarro Villoslada (1818-1895), autor de *Doña
Blanca de Navarra* y *Amaya o
los vascos en el siglo VIII.*

[10] Amós de Escalante (1831-
1902), poeta de Santander, amigo de Menéndez y Pelayo.

[11] Narcis Oller, escritor naturalista, catalán, autor de *La
papallona.*

unos representando los antiguos métodos; otros, los nuevos, pero todos enriqueciendo la novela patria.

¡Quiera Dios que el homenaje públicamente tributado a Pérez Galdós estos días sea indicio cierto de que el público empieza a recompensar los esfuerzos de la falange sagrada! ¡Quiera Dios que el entusiasmo no se disipe como la espuma del champán con que brindaron!

XX...

Y ÚLTIMO

Hemos llegado al fin de la jornada, no porque se agotase la materia, sino porque se cumplió mi propósito de reseñar la historia del naturalismo, sobre todo en la novela, campo donde con más lozanía crece esa planta tenida por ponzoñosa. Tela queda cortada, no obstante, para el que venga atrás: aparte del interesantísimo estudio que podrán hacer sobre la novela italiana, alemana, portuguesa y rusa—en todas ellas ha penetrado, con más o menos pujanza, el espíritu del realismo—le dejo intacto y virgen el casi pavoroso problema de la renovación del arte dramático y la poesía lírica por medio del método naturalista. Yo bien diría mi parecer acerca de todo eso que paso por alto; sólo que si de la novela italiana, rusa y alemana conozco lo más culminante—las obras de Farina, Turgueneff, Evers, Freytag [1], Sacher Masoch [2]—apenas me formo clara idea del conjunto,

---

[1] Gustave Freytag (1816-1895), novelista alemán.

[2] Leopoldo de Sacher Masoch (1835-1895), escritor austríaco, autor de trabajos históricos.

y sentiría proceder con esas literaturas del modo que suelen los críticos franceses con la nuestra, hablando a tuntún y sin conocimiento de causa; y por lo que hace al naturalismo en las tablas, se me ocurren tantas cosas, y algunas tan peregrinas y desusadas por acá, que me sería forzoso escribir otro libro si había de exponerlas debidamente. Quédese para pluma más experta en achaque de literatura dramática.

Tocante al naturalismo en general, ya queda establecido que, descartada la perniciosa herejía de negar la libertad humana, no puede imputársele otro género de delito: verdad que éste es grave, como que anula toda responsabilidad, y por consiguiente, toda moral; pero semejante error no será inherente al realismo mientras la ciencia positiva no establezca que los que nos tenemos por racionales somos bestias horribles e inmundas como los *yahús* de Swift, y vivimos esclavos del ciego instinto y regidos por las sugestiones de la materia. Antes al contrario, de todos los territorios que pueden explorar el novelista realista y reflexivo, el más rico, el más variado e interesante es sin duda el psicológico, y la influencia innegable del cuerpo en el alma y viceversa, le brinda magnífico tesoro de observaciones y experimentos.

Sin detenerme en el punto anterior, ya suficientemente tratado, no quiero omitir que si abundan los acusadores rutinarios del naturalismo, en cambio no falta quien asegure que no existe, o que bien mirado es idéntico al idealismo, como dicen algunos historiadores de la filosofía que son, en el fondo, Platón y Aristóteles. Y hay autores, por más señas realistas hasta los tuétanos, que repugnan ser clasificados con el nombre de tales, y protestan que al escribir sólo obedecen a su complexión literaria, sin ceñirse a los preceptos de escuela alguna: así el insigne Pereda, en el prólogo de *De tal palo tal astilla.* ¿A quién no agrada blasonar de independiente, y quién no se cree exento del influjo, no sólo de otros autores, sino hasta del ambiente intelectual que respira? No obstante, ni al mayor ingenio es lícito jactarse de tal exención; todo el mundo, sépalo o no, quiéralo o no, pertenece a una escuela a la cual la posteridad le afilia no respetando sus protestaciones y atendiendo a sus actos. La posteridad, o dígase los sabios, eruditos y críticos futuros, procediendo con orden y lógica, pondrán a cada escritor donde deba hallarse, y dividirán y clasificarán y considerarán a los más claros genios como representantes de una época literaria; así se hará mañana, porque así se hizo siempre. ¡Ay del autor a quien no reclame para sí escuela alguna! Los más excelsos artistas están clasificados: sabemos qué fueron —según rasgos generales, y por modo eminente—Homero y Esquilo, Dante y Shakespeare. ¿Pierde algo Fray Luis de León porque se le llame poeta neoclásico y horaciano? ¿Vale menos Espronceda por *byroniano* y romántico? ¿Es mengua de Velázquez ser pintor realista?

Una ventaja tenemos hoy, y es que la preceptiva y la estética no se construyen a priori, y las clasificaciones ya no son artificiosas y reglamentarias, ni se consideran inmutables, ni se sujetan a ellas los ingenios venideros, antes ellas son las que se modifican cuando hace falta. Se ha invertido el papel de la crítica, o mejor dicho, se le ha señalado su verdadero puesto de ciencia de observación, suprimiendo sus enfadosos dogmatismos y su impertinente formulario. En el día, la crítica se concierta a los grandes escritores, pasados y presentes, y los define, no como debieron ser en opinión del preceptista, sino como ellos se manifestaron, y el árbol es conocido por sus frutos. Así el artista independiente, que

repugna las clasificaciones arbitrarias, no tiene por qué suble-
varse contra la crítica nueva, cuyo oficio no es corregir y
distribuir palmetazos, sino estudiar y tratar de comprender
y explicar lo que existe.

Hoy más que nunca se proclama que, dentro de cualquier
dirección artística, conviene al individuo conservar como oro
en paño su carácter propio y afirmarlo y desenvolverlo lo
más constante y enérgicamente que sepa, y que de esa afirmación y conservación y desarrollo pende, en última instancia, el sabor y colorido de sus obras. Ya es casi una pero-
grullada decir que cada cuál debe abundar en su propio sentido, y de hecho, si inventariamos a un autor según sus
rasgos generales, lo distinguimos después por los particulares, al modo que suelen las hermosuras dividirse en tipos
morenos, rubios y castaños, y cada uno de ellos posee sus
peculiares gracias y fisonomía.

Zola siente acertadamente que el naturalismo más se ha
de considerar método que escuela; método de observación
y experimentación, que cada cual emplea como puede; instrumento que todos manejan en diferente guisa. Tengo para
mí que en esto hemos adelantado, y que se parecían más
entre sí dos líricos, o dos autores dramáticos antiguos, de lo
que se parecen hoy, por ejemplo, dos novelistas. Pienso que
antes eran las escuelas más tiránicas y menos abundante
el juego de los registros que podía tocar un autor. Hasta
en copiarse unos a otros se me figura que hacían menos
escrúpulo los antiguos. No me concierne decir si los estudios que hoy termino ayudarán al conocimiento de las tendencias de las nuevas formas y a la demostración de que
llevan la mejor parte en la lid y son dueñas y señoras del
último tercio de nuestro siglo. Yo no desconozco la gallar-

día, la riqueza, la fecundidad de otras formas hoy expiran-
tes, ni trato de probar que las que se nos van imponiendo
sean límite fatal de la humana inteligencia, que, ávida de
belleza, la buscará siempre consultando con ansiosa ojeada
los más remotos puntos del horizonte. La belleza literaria,
que es en cierto modo eterna, es en otro eminentemente mudable, y se renueva como se renueva la atmósfera, como se
renueva la vida. No pronostico, pues, el perenne reinado,
sino sólo el advenimiento del realismo; y añado que su
noción fundamental es imperecedera, y que su método será
tan fértil en resultados dentro de diez siglos como ahora.

Un fiel pintor de paisaje no pone en la paleta para copiar
el sol y el firmamento de Andalucía las mismas tintas que
empleó para celajes del Norte. En España, *realismo* y *naturalismo* han de tener muy distinto color que en Francia. Es
el realismo tradición de nuestra literatura y arte en general; nuestros narradores se distinguieron por la frase gráfica
y la observación franca y sincera; y desde los tiempos glo-
riosos de nuestra mayor prosperidad intelectual, Cervantes
hizo al lector trabar conocimiento con jiferos y rameras,
arrieros, galeotes y pícaros de la hampa [3], y lo condujo a la
almadraba y a la casa *non sancta* de la *Tía Fingida;* que por
entonces no se le daban a la literatura polvos de arroz, ni
nadie la perfumaba con almizcle, ni era remilgada damisela
atacada de vapores y desmayos, sino matrona robusta y biza-
rra, enamorada de la vida real y de la aventurera y heroica
existencia del Renacimiento. Pues bien, hoy que los tiempos
han cambiado, tanto se engañará quien piense que podemos
repetir en todo, aquella novela picaresca, como quien pre-

---

[3] Hoy diríamos *del hampa*.

tenda calcar servilmente la francesa contemporánea. Nuestro pueblo no es el de Bougival, ni el del arrabal de San Antonio, ni el que frecuenta el *Assommoir;* nuestras damas no se asemejan a Renata, la esposa de Rougon, ni nuestras comediantas a la Faustin; pero tampoco hoy viven los huéspedes de Monipodio [4], ni la heroína de *La fuerza de la sangre,* ni *Preciosa,* la gitanilla, ni... ¿a qué cansarnos? La España actual no es la del siglo XVI, ni menos es Francia, y las novelas contemporáneas españolas tienen que retratarla en su verdadera figura.

No estamos muy lucidos, en cierto respecto, los iberos; mas los pensadores de la nación vecina hablan de una cosa terrible que llaman *finis Galliæ* y explica las sombrías tintas del naturalismo francés. Acá, los que estudiamos el pueblo, no ya en las aldeas, no en las comarcas montañosas, que gozan fama de morigeradas costumbres, sino en un centro obrero y fabril, notamos—sin pecar de optimistas—que, a Dios gracias, nuestras últimas capas sociales se diferencian bastante de las que pintan los Goncourt y Zola. Así el realismo, que es un instrumento de comprobación exacta, da en cada país la medida del estado moral, bien como el esfigmógrafo registra la pulsación normal de un sano y el tumultuoso latir del pulso de un febricitante.

Dije al principio de estos artículos que me concretaría a exponer el naturalismo con imparcialidad, y, en efecto, me esmeré en señalar los que tengo por errores y vicios suyos, lo mismo que los que me parecen aciertos singulares. Ha recompensado mis esfuerzos la atención que el público otor-

---

[4] Se refiere al señor Monipodio, jefe de una cuadrilla de pícaros y ladrones de Sevilla, personaje de *Rinconete y Cortadillo,* de Cervantes.

gó a esta serie—atención extraordinaria comparada con la
que acostumbra conceder a los trabajos de orden puramente
crítico e histórico—. El interés con que se buscaron y leye-
ron mis artículos; las observaciones, felicitaciones y elogios
ardentísimos que les prodigaron varones eminentes; las voces
que ya en son de aprobación, ya de protesta, llegaron a mis
oídos, probáronme, no la excelencia de mi trabajo (cuyos
defectos no se me ocultan), sino su oportunidad, y si la
frase no parece inmodesta, lo muy necesario que en la república de las letras era ya alguien que tratase despacio la cuestión, a la vez trillada y ardua, y, sobre todo, realmente
palpitante, del naturalismo.

Lo que me resta desear es que venga en pos de mí otro
que con más brío, más ciencia y autoridad que yo, esclarez-
ca lo que dejé oscuro, y perfeccione lo que imperfecto salió
de mis manos.

FIN

INDICE

OBRAS PUBLICADAS EN
BIBLIOTECA ANAYA

Volumen extra (*). Volumen doble (**). Volumen especial (***).